NOUVEAU
ROND–POINT
PAS À PAS

LIVRE DE L'ÉLÈVE

Catherine Flumian

Josiane Labascoule

Corinne Royer

Conseil pédagogique et révision : **Christian Puren**

Editions Maison des Langues, Paris

Vous avez entre les mains le **Nouveau Rond-Point Pas à Pas B1.1**. Le premier **Rond-Point** a introduit en Français Langue Étrangère l'approche actionnelle, avec l'unité didactique basée sur la réalisation d'une tâche. Cette méthode a connu un grand succès, et nous avons souhaité en reprendre les points forts tout en actualisant l'ensemble de la collection grâce aux commentaires de nombreux professeurs utilisateurs.

Une meilleure intégration du CECR et des référentiels de français

Lorsque **Rond-Point** est sorti, le CECR en était à ses premiers balbutiements en FLE. Les référentiels pour le FLE, qui se définissent comme les indicateurs de contenus de chaque niveau du CECR, n'existaient pas encore. Dans ce **Nouveau Rond-Point Pas à Pas B1.1**, nous avons voulu prendre en compte ces éléments pour vous permettre de mettre en place dans votre classe un apprentissage en harmonie avec les recommandations européennes en matière de connaissances des langues.

Ainsi, ce **Nouveau Rond-Point Pas à Pas B1.1** a été l'objet d'un profond travail de remaniement des unités : lexique, grammaire, dynamique des activités et tâches ont été revus dans le souci de vous garantir un contenu en harmonie avec les recommandations du CECR et les exigences du niveau B1.

Un apprentissage pas à pas

Il nous a paru essentiel de scinder et de réorganiser **Rond-Point** en deux niveaux parce que nous savons que nombreux sont les apprenants dont le rythme d'apprentissage requiert une organisation de cours différente.

Nouveau Rond-Point Pas à Pas B1.1, une formule 3 en 1

Nouveau Rond-Point Pas à Pas B1.1 comprend un total de cinq unités. Outre le rythme, les changements dans ce **Nouveau Rond-Point Pas à Pas B1.1** impliquent de la part de l'apprenant un travail plus approfondi sur le lexique et la grammaire ; les consignes ont été revues et simplifiées pour faciliter l'autonomie des apprenants dans la réalisation des activités et des tâches.

Ces changements ne nous ont évidemment pas fait perdre de vue la démarche actionnelle qui a guidé l'élaboration de ce manuel : l'interaction et la négociation demeurent des notions-clés pour que vos élèves acquièrent efficacement les différentes compétences établies par le CECR.

De plus, ce **Nouveau Rond-Point Pas à Pas B1.1** regroupe en un seul volume le *Livre de l'élève* et le *Cahier d'activités* (+ CD). Un *Cahier d'activités* qui permet de renforcer le travail sur le lexique et la grammaire de façon individualisée à travers des exercices où vos élèves devront, comme dans la partie *Livre de l'élève*, mobiliser leurs compétences écrites et orales ; vous y trouverez également des activités de phonétique et de stratégie.

Vos élèves pourront aussi, s'ils le souhaitent, se préparer aux épreuves officielles du DELF dans la partie *Cahier d'activités*. Le CD avec l'ensemble des documents audio, entièrement mis à jour, se trouve bien entendu dans le manuel.

Une offre multimédia complète

Nous vous rappelons que ce manuel et le *Guide du professeur* sont disponibles en version numérique et que nous vous offrons un site compagnon avec des ressources multimédias complémentaires. Consultez notre site Internet pour plus de renseignements : rendez-vous sur **www.emdl.fr**.

Un nouvel habillage pour plus d'efficacité

Cette refonte dans les contenus et la dynamique est accompagnée d'un important travail de mise à jour des photos et des documents authentiques. Nous espérons que vous apprécierez aussi la nouvelle maquette, que nous avons voulu claire et moderne pour vous aider à rendre plus efficace l'apprentissage de vos élèves.

Le plaisir d'apprendre

Au-delà des concepts méthodologiques qui sous-tendent ce manuel, nous avons surtout voulu, avec ce **Nouveau Rond-Point Pas à pas B1.1**, vous proposer un ouvrage où le plaisir pourra être le moteur ou, mieux encore, la motivation pour apprendre le français.

Les auteurs

Livre de l'élève

Les unités du **Nouveau Rond-Point Pas à Pas B1.1** sont organisées de façon à apporter à l'apprenant l'ensemble des compétences langagières et communicatives nécessaires à la réalisation de chacune des tâches finales. **Nouveau Rond-Point Pas à Pas B1.1** amène progressivement l'apprenant à acquérir les savoirs et les savoir-faire pour communiquer et surtout interagir en français.

Chaque unité comprend cinq doubles pages :

Ancrage : deux pages d'entrée en matière

Cette double page permet à l'apprenant d'aborder l'unité à partir de ses connaissances préalables du monde et, éventuellement, de la langue française. Elle cherche ainsi à rassurer l'apprenant qui ne part jamais de zéro et qui pourra mobiliser des compétences acquises dans d'autres domaines.

Les documents déclencheurs de cette double page sensibilisent l'apprenant au thème et aux objectifs de l'unité.

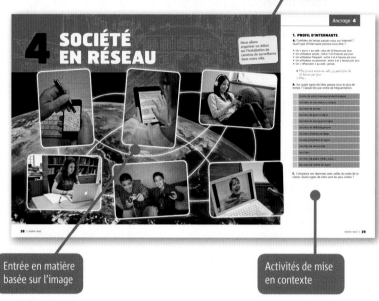

Annonce de la tâche ciblée

Entrée en matière basée sur l'image

Activités de mise en contexte

Implication directe de l'élève

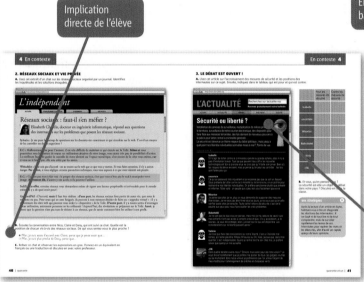

En contexte : deux pages de documents authentiques

Cette double page permet à l'apprenant d'entrer en contact avec des documents authentiques qui vont lui permettre de découvrir l'emploi de la langue en contexte.

La langue et le type de texte proposés serviront de base à l'apprenant pour réaliser la tâche finale.

Des modèles utiles à la tâche finale

Travail de mise en pratique individuel et/ou en groupe

Formes et ressources : deux pages d'outils linguistiques

Cette double page va aider l'apprenant à structurer le lexique et la grammaire nécessaires à la réalisation de la tâche. Les principaux points sont résumés et illustrés par des exemples en contexte dans la bande en bas de page.

L'apprenant systématise les points de langue qu'il devra être capable de réutiliser dans d'autres situations.

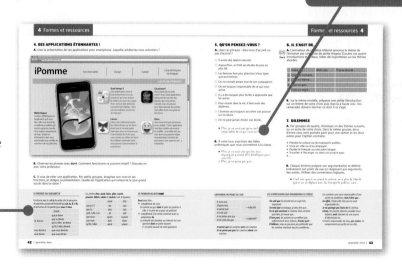

Reprise des principaux points de grammaire et de lexique

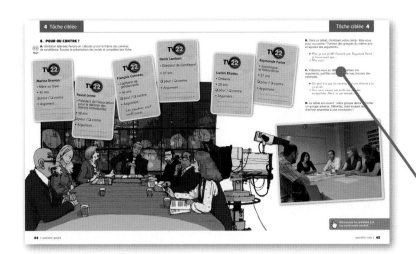

Tâche ciblée : deux pages de projet final

Cette double page amène l'apprenant à mobiliser l'ensemble de ses compétences et de ses savoir-faire pour que la réalisation de la tâche finale soit un succès. Sa réalisation est essentielle pour que l'ensemble du travail mené tout au long de l'unité prenne un véritable sens.

L'apprenant prend conscience de ses nouvelles compétences et de leur utilité.

> Tâche finale = véritable motivation de l'apprenant

Regards croisés : deux pages de culture et de civilisation

Cette dernière double page complète l'information de culture et de civilisation de l'unité à travers de nouveaux documents authentiques.

Cette partie est aussi l'occasion d'inciter l'apprenant à développer ses compétences interculturelles en comparant la réalité de son pays avec celles du monde francophone.

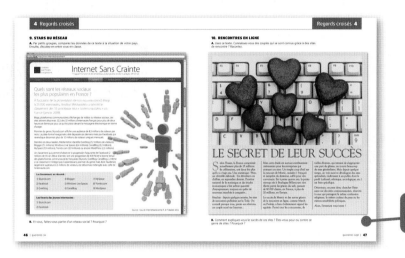

> Activités de réflexion sur la culture et la vie quotidienne

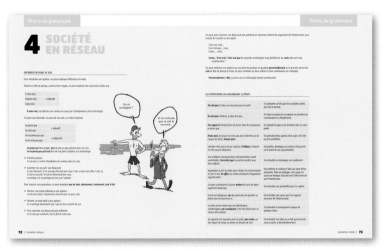

Le précis de grammaire : 22 pages de synthèse grammaticale

Ces pages reprennent et développent les contenus grammaticaux des *pages Formes et Ressources* des unités. Elles sont complétées par un *Tableau de conjugaison* et un *Index*.

Cahier d'activités

Situé en deuxième partie du manuel, le *Cahier d'activités* reprend et systématise en contexte les points de langue traités dans le *Livre de l'élève*. Il propose une réflexion stratégique sur l'apprentissage, un entraînement à la phonétique et une préparation au DELF B1.

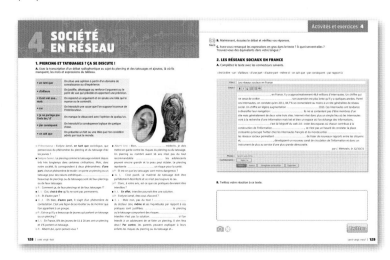

Tableau des contenus

Unité	Tâche finale	Typologie textuelle	Communication et savoir-faire
Unité 1 **PETITES ANNONCES**	Nous allons chercher dans la classe une personne avec qui partager un appartement.	Petites annonces immobilières, interview, annonces d'échange d'appartements, courriel, plan d'appartement, plan de ville, données statistiques.	- exprimer des affinités - exprimer des impressions - exprimer des sentiments - exprimer l'intensité - décrire l'endroit où nous habitons - demander et donner des informations sur nos goûts, notre caractère et nos habitudes - demander une confirmation - confirmer / infirmer une information
Unité 2 **RETOUR VERS LE PASSÉ**	Nous allons mettre au point un alibi et justifier notre emploi du temps.	Photos de presse, titres de presse, carnet de notes, interrogatoire, couverture de roman policier, extrait littéraire, extrait de presse (faits divers).	- situer dans le temps (1) - raconter des événements, des souvenirs - décrire des personnes - décrire des faits / des circonstances - demander et donner des informations précises (l'heure, le lieu, etc.)
Unité 3 **ET SI ON SORTAIT ?**	Nous allons organiser un week-end dans notre ville pour des amis français.	Dépliants, affiches, extrait de magazine (reportage touristique), page d'accueil d'un webzine culturel, blog, article de presse.	- parler de projets - décrire / évaluer un spectacle, une activité, un lieu... - exprimer nos préférences et nos habitudes en matière de loisirs - proposer / suggérer quelque chose - accepter / refuser une proposition - indiquer un lieu - situer dans le temps (2)
Unité 4 **SOCIÉTÉ EN RÉSEAU**	Nous allons organiser un débat sur l'installation de caméras de surveillance dans notre ville.	Chat en direct, forum, cartes de présentation, site Internet, article de presse.	- donner son avis - participer à un débat - argumenter sur un sujet - organiser un débat
Unité 5 **PORTRAITS CROISÉS**	Nous allons élaborer un test de personnalité et préparer un entretien d'embauche.	Portrait chinois, roman-photos, test de personnalité, notes, récit de voyage, articles de presse, devinette.	- émettre des hypothèses certaines et incertaines - évaluer des qualités personnelles - adapter son registre de langue à la situation - comprendre des instructions - émettre des objections / y réagir - élaborer un questionnaire

Compétences grammaticales	Compétences lexicales	Compétences (inter) culturelles	
- le conditionnel présent - la construction verbale des formes *ça m'irrite, ça me plaît...* - des outils pour exprimer l'intensité : *qu'est-ce que... !, si, tellement, trop*	- le caractère - l'habitat et le logement - *avoir l'air* + adjectif - *trouver* + COD + adjectif	- les quartiers multiculturels de Montréal	8
- le passé composé - l'imparfait - la concordance des temps (passé composé / imparfait / *être* à l'imparfait + *en train de* + infinitif) - les indicateurs de temps : *hier, hier matin, avant-hier, cet après-midi, vers 7 h 30, à 20 heures environ...* - les articulateurs chronologiques du discours : *d'abord, ensuite, puis, après, enfin...* - *avant* + nom, *avant de* + infinitif - *après* + nom / infinitif passé	- la description physique - les vêtements - les faits de société - *il me semble que...*	- la passion des polars - un personnage de polar : Maigret	18
- le futur proche - les prépositions de lieu : *à, au, dans, sur...* - les indicateurs de temps : *avant, après...* - des expressions pour suggérer quelque chose : *ça te dit de* + infinitif, *si* + imparfait	- les spectacles et les loisirs - les moments de la journée	- le théâtre de rue - le nouveau cirque - le Cirque du Soleil	28
- le présent du subjonctif - les verbes d'opinion : *je (ne) pense (pas) que, je (ne) crois (pas) que...* - le pronom relatif *dont*	- les médias - les réseaux sociaux - *à mon avis, d'après moi...* - les expressions qui organisent le débat	- les jeunes et leur usage d'Internet - les réseaux sociaux - les sites de rencontres	38
- les pronoms compléments d'objet direct (COD) et indirect (COI) : *le, la, les, l'* ; *lui, leur* - la place des pronoms COD et COI - les doubles pronoms - l'expression de l'hypothèse : *si* + présent / futur ; *si* + imparfait / conditionnel présent	- le monde professionnel : l'entreprise, la recherche d'emploi, l'entretien d'embauche...	- le travail et ses lois en France	48

1 PETITES ANNONCES

Immobilier-location

ACCUEIL | AFFICHER UNE ANNONCE | COLOC ALERTE | PROMO DU JOUR

Qui sera notre 4ᵉ coloc' ?

Infos personnelles : Sarah, femme, 23 ans, non fumeuse
Loyer : 450 $
Logement : Maison à Prévost (Montréal)

Description générale :
Recherche un coloc pour partager maison à Prévost, bel emplacement, tout près du petit train du nord. Je fais de la danse classique. Je partage déjà la maison avec deux autres personnes : Kate, 20 ans, vendeuse, et Andreï, 28 ans, intermittent du spectacle. Nous nous entendons très bien, nous sommes sympas et faciles à vivre. Nous cherchons une personne sérieuse mais aimant quand même faire la fête de temps en temps. Nous sommes tous les trois plutôt matinaux.

Urgent !

Infos personnelles : Emma, femme, 28 ans, non fumeuse
Loyer : 440 $
Logement : Chambre à louer à Montréal

Description générale :
Meublé dans Notre-Dame-de-Grâce, près de la station de métro Vendôme. Inclus : WIFI, chauffage, machine à laver, frigo et cuisinière. Je voyage beaucoup pour mon travail et suis à l'appartement trois nuits par semaine seulement. Je fais de la méditation. Je ne supporte ni la musique techno ni les gens bruyants.

Vous cherchez une coloc' ?

Infos personnelles : Camille, femme, 20 ans, non fumeuse
Loyer : 425 $
Logement : Chambre à louer dans la Petite-Patrie

Description générale :
Grande chambre non meublée, avec armoire. Appartement très mignon situé dans la Petite-Patrie, à 15 minutes à pied du métro Rosemont. Je cherche une colocataire, étudiante de préférence, calme et sérieuse, non fumeuse. Je suis étudiante en journalisme, j'aime l'histoire, j'adore le jazz et regarder la télé. J'ai un chat, Eurasie. J'aime l'ordre et la propreté.

Cherche colocataire !

Infos personnelles : Marie, femme, 30 ans, fumeuse
Loyer : 520 $
Logement : Chambre disponible dans grand appartement

Description générale :
Je cherche un colocataire pour occuper chambre double au rez-de-chaussée. Grand et bel appartement, près du métro Jarry, avec garage et jardin. Colocataire étudiant(e) ou dans la vie active. Je travaille à la maison, le désordre ne me dérange pas, mais le bruit m'irrite. Je suis assez facile à vivre, j'adore la musique brésilienne, cuisiner et sortir.

AIDE

Annonces correspondantes (7787)

CATÉGORIE :

Toutes les catégories immobilier

chambres à louer, colocs (7787)

LIEU :

Québec

Montréal (7787)

DISTANCE [?]

Montréal Changer

GLISSER

1 km   159 km

TYPE :

Tous les types

Offre (6669)
Recherché (1118)

ANNONCES EN VEDETTE :

Toutes les annonces en vedette

Annonces urgentes

PRIX :

de   à

Nous allons chercher dans la classe une personne avec qui partager un appartement.

1. CHERCHE COLOC'

A. Ces quatre femmes cherchent un(e) colocataire à Montréal. Lisez leurs petites annonces et indiquez sur la photo de chacune leur prénom.

B. Avec qui préféreriez-vous habiter ?

- Moi, je préférerais habiter avec Camille, parce qu'elle est étudiante comme moi et non fumeuse.
- Pas moi ! Je préférerais habiter avec...

2. VOTRE STAR AU JOUR LE JOUR

A. Lisez cette interview de la chanteuse Lara Salan et complétez les phrases sous le document. Avez-vous des points communs avec Lara ? Lesquels ?

INTERVIEW

LARA SALAN

Rencontre avec une chanteuse révoltée qui aime les sensations fortes !

Lara, quand vous n'êtes pas sur scène, que faites-vous ?
Eh bien, vous savez, dans ce métier, on a besoin de se retrouver seul avec soi même. Il faut se protéger de la surmédiatisation. Donc, quand j'ai du temps pour moi, je m'occupe de ma ferme dans le Gers et puis, j'ai une grande passion pour l'eau, la mer, le soleil. Dès que je peux, je vais à la mer.

Qu'est-ce que vous aimez particulièrement ?
J'aime la vie de famille, les enfants, cuisiner. J'adore accueillir des amis autour d'un bon plat. Il n'y a rien de plus agréable qu'une bonne table avec des amis et des rires. C'est si bon de retrouver des gens qu'on aime.

On dit que vous êtes une révoltée... Qu'en pensez-vous ?
J'ai l'air calme, mais oui, je me sens profondément révoltée. Je supporte mal le système qu'on nous impose, alors j'écris beaucoup.

Écrire, ça vous permet d'extérioriser votre révolte ?
Oui, j'ai besoin de l'écriture pour cela. Et comme je suis souvent impatiente et nerveuse, j'ai besoin de dépenser mon énergie, alors je fais du deltaplane et du saut à l'élastique. J'adore les sensasions fortes.

Qu'est-ce que vous détestez ?
Je n'aime pas les hypocrites, ces gens qui ont l'air sympathiques mais qui vous trompent. Je ne supporte pas qu'on me donne des ordres et il y a plein de petits détails qui me dérangent.

Comme quoi, par exemple ?
La fumée, le bruit des voitures en ville et... mon voisin !

1. Elle adore ....

2. Elle déteste ....

3. Elle fait souvent ....

4. Elle supporte mal ....

B. Comment décririez-vous le caractère de Lara Salan ?

● Elle a l'air facile à vivre.
○ En tout cas, elle a l'air dynamique parce qu'elle a plein d'énergie...

- sociable
- amusante
- sympa(thique)
- antipathique
- tolérante
- conviviale
- dynamique
- sérieuse
- rigide
- timide
- ouverte
- intelligente
- irritable
- calme

3. ÉCHANGES D'APPARTEMENTS

A. Regardez cette annonce d'échange d'appartements. Identifiez chaque pièce sur les photos.

Réf # : 3999

Échange appartement à Lyon contre appartement à Madrid.

Notre appartement est grand : 150 m² + jardin 25 m². Il est calme et ensoleillé. C'est un F3. Il y a une salle à manger-cuisine, une salle de bains et un W.C. Situé au centre-ville. Libre au mois d'août.

B. Écoutez la conversation entre le propriétaire de cet appartement et une personne intéressée. Complétez les notes de cette dernière.

Piste 1

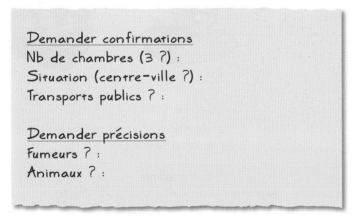

Demander confirmations
Nb de chambres (3 ?) :
Situation (centre-ville ?) :
Transports publics ? :

Demander précisions
Fumeurs ? :
Animaux ? :

C. Lisez ce courriel. Finalement, quelle décision prend la personne intéressée ? Pourquoi ?

De : gonzalezquique@mail.nrp
Objet : Échange appartement Lyon
Date : 25 mai
À : p.cabet@mail.nrp
Cc :

Cher M. Cabet,

J'ai été très content de vous avoir eu au téléphone hier soir et je vous remercie des précisions que vous m'avez apportées. Votre appartement à Lyon nous a vraiment plu sur les photos et il correspond parfaitement à ce que nous cherchons. Malheureusement, nous ne pouvons pas faire un échange avec vous : l'allergie de ma femme nous oblige à choisir un appartement sans animaux.
En espérant vous rencontrer malgré tout un jour, je vous envoie pour information des photos de notre appartement à Madrid.

Cordialement,

E. González

4. MOI, JE M'ENTENDRAIS BIEN AVEC...

A. Complétez cette fiche avec la description d'une personne de votre entourage (un ami, un cousin, une sœur, un frère...).

Prénom : ....

Âge : ....

Il / Elle adore...

....

Il / Elle déteste...

....

Ce qui le / la gêne beaucoup...

....

Ce qui ne le / la dérange pas beaucoup...

....

Il / Elle fait / lit / regarde... souvent / jamais...

....

B. Ensuite, par groupes de quatre, chacun lit à haute voix cette description et les autres doivent décider s'ils s'entendraient bien avec cette personne ou non.

● Moi, je m'entendrais bien avec... parce que...

EXPRIMER DES IMPRESSIONS

▶ **Avoir l'air** + adjectif
Elle a l'air ouverte. (= Elle semble être ouverte.)

Attention !
L'adjectif s'accorde avec le sujet.

Il a l'air sérieux.
Elle a l'air sérieuse.

▶ **Trouver** + COD + adjectif
Je trouve ce type antipathique. (= Il me semble...)

EXPRIMER DES SENTIMENTS

Le bruit **m'irrite**.
La fumée **me dérange**.
La pollution **me gêne**.
Le maquillage **m'agace**.
La tranquillité **m'énerve**.
La danse **me plaît**.

Si le sujet est au pluriel, le verbe se conjugue à la 3e personne du pluriel.

Tous ces bruits m'énervent.

Pour mettre en relief le sujet, on peut le placer en tête de phrase, suivi de **ça**.

Le bruit, ça **m'irrite**.

EXPRIMER L'INTENSITÉ

Qu'est-ce que c'est sombre **!**
Je le trouve **tellement** beau **!**
Elle est **si** belle **!**
Il est vraiment **trop** drôle. (en langage parlé)

5. VOTRE APPARTEMENT M'INTÉRESSE !

Demandez des précisions concernant cette annonce.

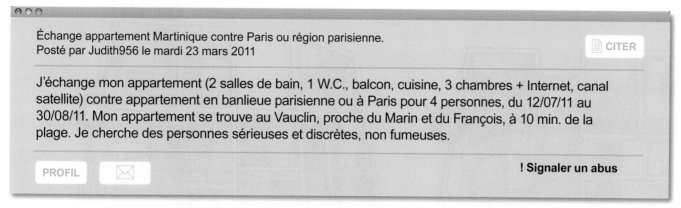

Échange appartement Martinique contre Paris ou région parisienne.
Posté par Judith956 le mardi 23 mars 2011

📄 CITER

J'échange mon appartement (2 salles de bain, 1 W.C., balcon, cuisine, 3 chambres + Internet, canal satellite) contre appartement en banlieue parisienne ou à Paris pour 4 personnes, du 12/07/11 au 30/08/11. Mon appartement se trouve au Vauclin, proche du Marin et du François, à 10 min. de la plage. Je cherche des personnes sérieuses et discrètes, non fumeuses.

PROFIL   ✉   **! Signaler un abus**

Je serais intéressé par votre appartement mais j'aimerais en savoir plus...

6. RENCONTRES DE RÊVES !

Échangez avec des camarades à propos de personnes, célèbres ou non...

▶ que vous aimeriez rencontrer.
▶ avec qui vous dîneriez en tête-à-tête.
▶ avec qui vous partiriez volontiers en voyage à l'aventure.

▶ avec qui vous iriez voir un spectacle.
▶ que vous inviteriez chez vous pour Noël.
▶ avec qui vous passeriez bien une semaine de vacances.

● *Moi, j'aimerais rencontrer Anna Gavalda. Ses romans sont trop bien !*
○ *Eh bien moi, je passerais volontiers une semaine avec...*

LE CONDITIONNEL PRÉSENT

je	partir**ais**
tu	aimer**ais**
il / elle / on	pourr**ait**
nous	passer**ions**
vous	invit**iez**
ils / elles	préférer**aient**

Les terminaisons du conditionnel présent sont les mêmes pour tous les verbes.

Ce temps sert à exprimer un désir.

Je préférerais habiter avec Sonia.
J'aimerais dîner avec Johnny Depp.
J'adorerais passer une semaine de vacances avec Eminem.

Il sert aussi à faire une suggestion, une proposition.

On pourrait chercher un troisième colocataire.
Il pourrait dormir dans la salle à manger.

DEMANDER UNE CONFIRMATION

Vous pourriez me confirmer notre rendez-vous ?
Vous êtes bien M. Henry ?
C'est bien le 06 54 56 87 98 ?

CONFIRMER / INFIRMER UNE INFORMATION

Oui, c'est (bien) ça.   Non, ce n'est pas ça.
C'est exact.   Non, c'est faux.
Exactement.   Pas exactement.
Tout à fait.   Pas du tout.

7. À LA RECHERCHE D'UN APPARTEMENT

A. Vous cherchez un logement. Par groupes de trois, mettez-vous d'accord sur l'appartement que vous allez choisir parmi les trois propositions.

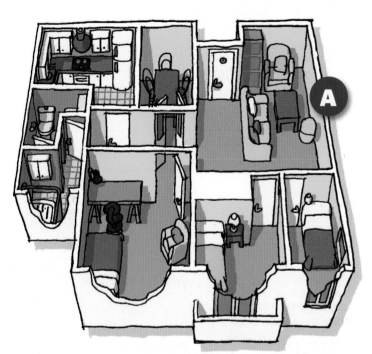

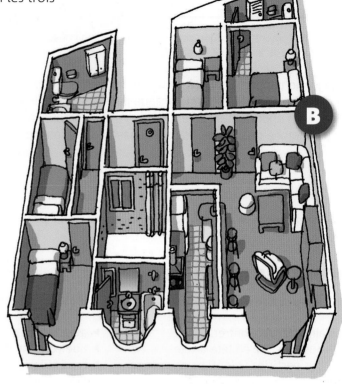

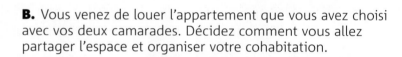

● On pourrait prendre l'appartement de 4 chambres.
○ Non, les chambres sont trop petites, moi je propose...
■ Non, je trouve que...

B. Vous venez de louer l'appartement que vous avez choisi avec vos deux camarades. Décidez comment vous allez partager l'espace et organiser votre cohabitation.

● Moi, je prends cette chambre.
○ Oui, et moi celle-là.
■ Non, je ne suis pas d'accord...

C. Le loyer de votre appartement a beaucoup augmenté. Vous décidez de chercher un quatrième colocataire. Où va-t-il dormir ?

● On pourrait partager une chambre ?
○ Non, je crois qu'on pourrait...

D. Vous avez déjà quelques candidats à la colocation et vous voulez les rencontrer. Préparez ensemble les questions que vous allez leur poser.

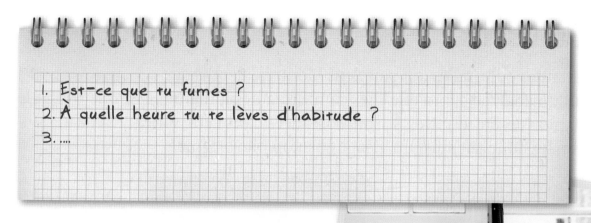

1. Est-ce que tu fumes ?
2. À quelle heure tu te lèves d'habitude ?
3. ....

E. Chacun va rencontrer un camarade d'un autre groupe qui jouera le rôle du candidat à la colocation. Vous allez l'interroger et lui montrer où il va dormir.

- Alors, tu vas partager la chambre de Paola.
- D'accord, mais...

F. À présent, retrouvez votre groupe d'origine et mettez en commun les réponses des candidats. Décidez avec qui vous voulez partager votre appartement.

G. Maintenant, prévenez par courriel la personne que vous avez sélectionnée.

| Supprimer | Indésirable | Répondre | Rép. à tous | Réexpédier | Imprimer |

De :
Objet : colocation
Date :
À :
Cc :

vos stratégies ✕

Les jeux de rôle sont parfois une très bonne façon de s'entraîner à communiquer. Imaginer des situations réalistes et préparer vos interventions sont des stratégies que vous pouvez intégrer à vos stratégies d'apprentissage.

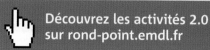

Découvrez les activités 2.0 sur rond-point.emdl.fr

Montréal : une ville multiculturelle !

Les différentes communautés culturelles qui peuplent Montréal depuis des générations lui donnent un charme bien à elle ! Les communautés italienne, chinoise, portugaise et grecque, entre autres, se sont installées dans cette ville et continuent d'y arriver, lui donnant ainsi un visage cosmopolite original.

▲ Portique chinois dans le quartier chinois.

Le quartier chinois : Il se situe aux portes du centre-ville entre le boulevard Saint-Laurent et la rue Saint-Urbain, au nord du parc du Mont Royal. Vous pouvez y trouver toutes sortes de produits chinois et asiatiques en général, des boutiques et des restaurants.

La Petite Italie : Ce quartier se situe entre le boulevard Saint-Laurent et la rue Saint-Denis, et s'étend jusqu'à la rue Jean-Talon, au nord. On y trouve des cafés, des *trattorias* (petits restaurants) et de nombreux commerces typiquement italiens.

▲ Boulevard Saint-Laurent depuis la rue Dante.

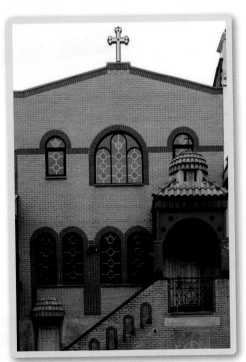

▲ Petite église rue Saint-Urbain.

Le quartier portugais : La création de la communauté portugaise remonte au début des années 50 et le quartier portugais s'est formé en moins de dix ans. Il correspond à peu près au quartier Saint-Louis, sur le Plateau Mont-Royal, à deux pas du quartier chinois.

▲ Fête nationale grecque à Montréal.

Le quartier grec : C'est dans les années 1960 que les immigrants grecs ont commencé à s'installer dans le quartier de Parc-Extension, particulièrement rue Jean-Talon. On y trouve notamment deux églises orthodoxes qui témoignent de l'importance de la communauté grecque à Montréal.

8. MONTRÉAL DE PRÈS

A. Situez chaque quartier sur la carte.

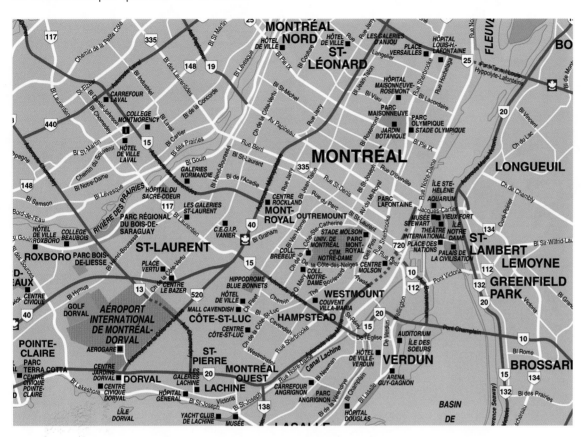

1 Le quartier chinois

2 Le quartier portugais

3 La Petite Italie

4 Le quartier grec

B. Lisez le texte suivant. Cela correspond-il à l'image que vous aviez de Montréal ? Discutez-en avec un camarade.

L'AGGLOMÉRATION DE MONTRÉAL ET SES HABITANTS

L'agglomération de Montréal est composée de seize municipalités, dont la ville de Montréal. Sa population est très diversifiée culturellement puisqu'une personne sur trois est née à l'extérieur du Canada [...]. D'ailleurs Montréal est le principal pôle d'attraction des immigrants. La population immigrante se chiffre à 558 250 personnes et représente 31 % de la population totale de l'agglomération de Montréal. Les Italiens, les Haïtiens et les Chinois y sont les plus nombreux ; les nouveaux arrivants proviennent surtout de la Chine, de l'Algérie et du Maroc. On peut entendre des centaines de langues à Montréal mais 50 % de la population de Montréal peut mener une conversation en français ou en anglais, le français demeurant la langue la plus utilisée, à la maison et au travail.

Source : Profil sociodémographique, Montréal en statistiques, édition mai 2009

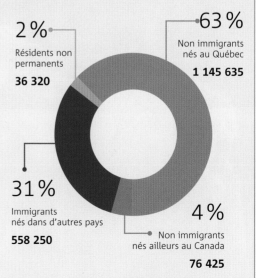

2 %
Résidents non permanents
36 320

63 %
Non immigrants nés au Québec
1 145 635

31 %
Immigrants nés dans d'autres pays
558 250

4 %
Non immigrants nés ailleurs au Canada
76 425

2 RETOUR VERS LE PASSÉ

1

2

4

5

> Nous allons mettre au point un alibi et justifier notre emploi du temps.

3

6

1. ÉVÉNEMENTS MARQUANTS

A. Regardez ces photos et retrouvez les événements.

Berlin : le mur tombe ◯

L'Espagne remporte la Coupe du monde de football ◯

Le premier mammifère cloné est une brebis : Dolly ◯

UNE MONNAIE POUR 304 MILLIONS D'EUROPÉENS ◯

On a marché sur la Lune ◯

Albert et Charlene se sont dit oui ◯

B. C'était en quelle année ?

▶ 1969
▶ 2011
▶ 2002
▶ 1989
▶ 1996
▶ 2010

C. Vous rappelez-vous tous ces événements ? Quel âge aviez-vous cette année-là ?

● Moi, en 1969, je n'étais pas né !
○ Moi, non plus !
■ Moi, je me rappelle le jour où le mur de Berlin est tombé.

D. Quels autres événements vous ont particulièrement marqué ? C'était en quelle année ?

2. AU POSTE DE POLICE

A. Lisez cet extrait de roman policier. Pouvez-vous identifier les deux gangsters parmi ces cinq suspects ?

L'inspecteur Graimet allume sa pipe et commence à poser des questions :

– Alors, qu'est-ce que vous avez vu ?

– Eh bien, hier matin, à 9 heures, je suis allé à ma banque pour retirer de l'argent… Je faisais la queue au guichet quand…

– Il y avait beaucoup de monde ?

– Oui, euh, il y avait cinq personnes devant moi.

– Est-ce que vous avez remarqué quelque chose de suspect ?

– Oui, euh, juste devant moi, il y avait un homme…

– Comment était-il ?

– Grand, blond, les cheveux frisés.

– Comment était-il habillé ?

– Il portait un jean et un pull-over marron.

– Et alors ? Qu'est-ce qui était suspect ?

– Eh bien, il avait l'air très nerveux. Il regardait souvent vers la porte d'entrée.

– Bien et qu'est-ce qui s'est passé ?

– Soudain, un autre homme est entré en courant et…

– Comment était-il ?

– Euh, eh bien, il était plutôt de taille moyenne, roux, les cheveux raides… Il avait l'air très jeune. Ah ! et il portait des lunettes.

– Et à ce moment-là, qu'est-ce qui s'est passé ?

– L'homme qui était devant moi a sorti un revolver de sa poche et il a crié « Haut les mains ! C'est un hold-up ! »

– Alors, qu'est-ce que vous avez fait ?

– Moi ? Rien ! J'ai levé les bras comme tout le monde.

32

B. Observez les verbes de l'extrait. Relevez ceux qui sont à un temps du passé et séparez-les en deux groupes selon le modèle du tableau. Quelle remarque pouvez-vous faire concernant leur formation ?

vous avez vu	je faisais

C. Analysez la différence entre les verbes de ces deux colonnes et discutez-en avec votre professeur.

D. Choisissez l'un des personnages de l'illustration ci-dessus (non décrits dans le texte) et décrivez-le à votre camarade qui devra deviner de qui il s'agit.

● *Il est plutôt grand, il a les cheveux raides… et il porte un blouson marron.*
○ *C'est celui-ci !*

Il porte		**Il a les cheveux**	**Il est chauve**	**Il est (plutôt)**
• une veste	• des chaussures	• courts		• grand
• un blouson	• une casquette	• longs	**Il a les yeux**	• de taille moyenne
• un pull-over	• des lunettes	• raides	• bleus	• petit
• une chemise	• une moustache	• frisés	• verts	• gros
• une cravate	• la barbe	• bruns	• noirs	• mince
• un pantalon		• blonds	• marron	• maigre
• un jean		• roux	• gris	
		• châtains		

3. FAITS DIVERS

A. Olivier Debrun a été victime d'un vol. L'agent de police qui l'a interrogé a pris des notes sur son carnet. Lisez ses notes, puis imaginez avec un camarade ce qui est arrivé à Olivier Debrun.

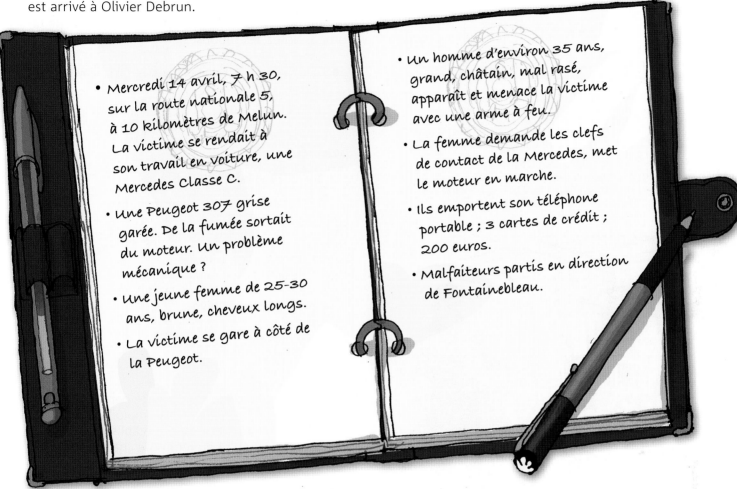

- Mercredi 14 avril, 7 h 30, sur la route nationale 5, à 10 kilomètres de Melun. La victime se rendait à son travail en voiture, une Mercedes Classe C.
- Une Peugeot 307 grise garée. De la fumée sortait du moteur. Un problème mécanique ?
- Une jeune femme de 25-30 ans, brune, cheveux longs.
- La victime se gare à côté de la Peugeot.

- Un homme d'environ 35 ans, grand, châtain, mal rasé, apparaît et menace la victime avec une arme à feu.
- La femme demande les clefs de contact de la Mercedes, met le moteur en marche.
- Ils emportent son téléphone portable ; 3 cartes de crédit ; 200 euros.
- Malfaiteurs partis en direction de Fontainebleau.

B. Écoutez les déclarations d'Olivier et complétez l'article suivant.

Piste 2

FAITS DIVERS

Vol de voiture à main armée sur la N5

Mercredi matin, un homme a été victime d'un couple de malfaiteurs sur la nationale 5, près de Melun.

Olivier Debrun .... comme d'habitude quand il a vu .... arrêtée sur le bord de la route nationale 5. .... faisait signe aux automobilistes de s'arrêter. « .... » raconte Olivier Debrun, « alors j'ai pensé qu'elle avait un problème

mécanique et je me suis arrêté pour l'aider. » À ce moment-là, le complice de la jeune femme, qui était caché dans la Peugeot, est sorti et a menacé Olivier Debrun avec .... La victime a été contrainte de donner .... ainsi que .... et .... qu'il portait sur lui. Les deux complices se sont enfuis ....

4. UN BON ALIBI

Répondez aux questions suivantes.

Où étiez-vous…

- ▶ dimanche dernier à 14 heures ?
- ▶ hier soir à 19 heures ?
- ▶ le 31 décembre à minuit ?
- ▶ le soir de votre dernier anniversaire ?
- ▶ avant-hier à 6 heures du matin ?
- ▶ ce matin à 8 heures 30 ?

● Moi, hier à 19 heures, j'étais chez moi en train de regarder la télévision.
○ Moi, j'étais au cinéma avec un ami.
■ Moi, je ne me rappelle pas bien, mais il me semble que…

5. QUE FAISIEZ-VOUS HIER QUAND… ?

A. Faites votre emploi du temps précis de la journée d'hier. Puis posez des questions à un camarade pour savoir ce qu'il était en train de faire au même moment que vous et à des différents moments de la journée. Notez ses réponses.

● Que faisais-tu hier quand je suis sorti faire des courses à 15 heures ?
○ Je crois que j'étais en train de réviser mes leçons.

> **(Moi) j'étais…**
>
> • en train de regarder la télévision.
>
> • en classe.
> • chez moi.
> • au travail.
>
> • avec ma famille.
>
> **Je ne me rappelle pas bien.**
> **Je crois que…**
> **Il me semble que…**

B. Répétez l'exercice avec une autre personne, puis mettez en relation les deux emplois du temps. Partagez avec la classe et établissez, par recoupement, l'emploi du temps de chacun à un moment précis.

● Pendant que Samuel était en train de réviser ses leçons, Camille était en train de regarder un film.
○ Oui et Sebastien était en train de boire un café.

L'IMPARFAIT

● *Que **faisiez-vous** samedi dernier, le soir ?*

	PORTER	ÊTRE*
je / j'	port**ais**	**étais**
tu	port**ais**	**étais**
il / elle / on	port**ait**	**était**
nous	port**ions**	**étions**
vous	port**iez**	**étiez**
ils / elles	port**aient**	**étaient**

*__Être__ est le seul verbe irrégulier à l'imparfait.

L'imparfait sert à :

- ▶ parler de nos habitudes dans le passé.
  À cette époque-là, **elle se levait** tous les matins à 6 heures.

- ▶ décrire une action en cours dans le passé.
  Je regardais la télé quand le téléphone a sonné.

- ▶ décrire les circonstances d'un événement.
  Il n'est pas venu en classe parce qu'**il était** malade.

LE PASSÉ COMPOSÉ

● *Tu **as étudié** l'espagnol ?*
○ *Oui, pendant trois ans.*

● *Et Pierre, **il n'est pas venu** ?*
○ *Non, **je ne l'ai pas vu**.*

On conjugue avec l'auxiliaire **être** tous les verbes pronominaux (**se lever, s'habiller**, etc.) et les verbes **entrer, sortir, arriver, partir, passer, rester, devenir, monter, descendre, naître, mourir, tomber, aller, venir**.

6. À VOS STYLOS !

Par petits groupes, réécrivez les phrases ci-dessous sur une feuille. Puis, finissez la première phrase comme vous le souhaitez. Ensuite, pliez la feuille pour cacher ce que vous avez écrit et faites-la passer à votre voisin de droite qui complètera la 2ᵉ phrase, pliera à son tour la feuille et la fera passer à son voisin. La feuille doit circuler jusqu'à ce que le texte soit complet. Finalement, chaque groupe lit au reste de la classe le texte complet.

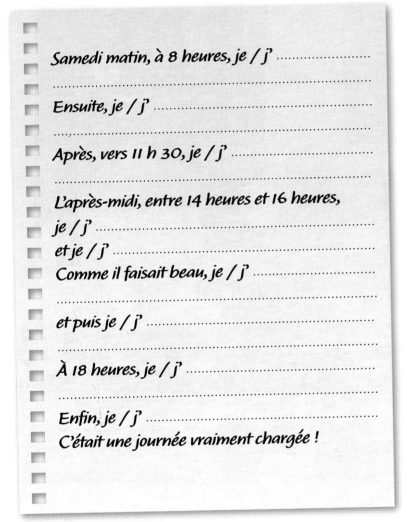

Samedi matin, à 8 heures, je / j' ....
....

Ensuite, je / j' ....
....

Après, vers 11 h 30, je / j' ....
....

L'après-midi, entre 14 heures et 16 heures,
je / j' ....
et je / j' ....

Comme il faisait beau, je / j' ....
....

et puis je / j' ....
....

À 18 heures, je / j' ....
....

Enfin, je / j' ....
C'était une journée vraiment chargée !

7. C'EST LA VIE !

Piste 3

A. Écoutez Damien qui raconte à une amie ce qui a changé dans sa vie depuis quelques années. Notez les thèmes dont il parle et classez-les dans le tableau ci-dessous par ordre d'apparition.

loisirs   aspect physique   amis   lieu d'habitation

Thèmes de conversation	Changement
1 Aspect physique	
2	
3	
4	

B. Écoutez à nouveau leur conversation et notez dans le tableau les changements dont parle Damien. À votre avis, ces changements sont-ils positifs ou négatifs ?

C. Maintenant, pensez à deux changements dans votre vie et parlez-en avec deux autres camarades.

SITUER DANS LE TEMPS (1)

Hier,	
Hier matin,	
Hier soir,	
Avant-hier,	*je suis allé(e)*
Ce matin,	*au cinéma.*
Cet après-midi,	
Dimanche, lundi, mardi...	
Vers 7 h 30,	
À 20 heures environ,	

LA SUCCESSION DES ÉVÉNEMENTS

D'abord, j'ai pris mon petit déjeuner.
Ensuite, je me suis douché.
Puis je me suis habillé.
Après, je suis sorti.
Et puis j'ai pris l'autobus.
Enfin, je suis arrivé au travail.

Un moment antérieur

▶ **Avant** + nom
Avant les examens, j'étais très nerveuse.

▶ **Avant de** + infinitif
Avant de passer mes examens, j'étais très nerveuse.

Un moment postérieur

▶ **Après** + nom
Après le déjeuner, ils ont joué aux cartes.

▶ **Après** + infinitif passé
Après avoir déjeuné, ils ont joué aux cartes.

8. QU'EST-CE QUI S'EST PASSÉ ?

Piste 4

A. Écoutez cette information retransmise par une radio locale et numérotez les dessins dans l'ordre chronologique des faits.

B. La police soupçonne certains membres de votre classe d'être les auteurs de cet étrange cambriolage. Elle veut les interroger à propos de leur emploi du temps, hier soir entre 19 heures et 23 heures. Organisez les interrogatoires.

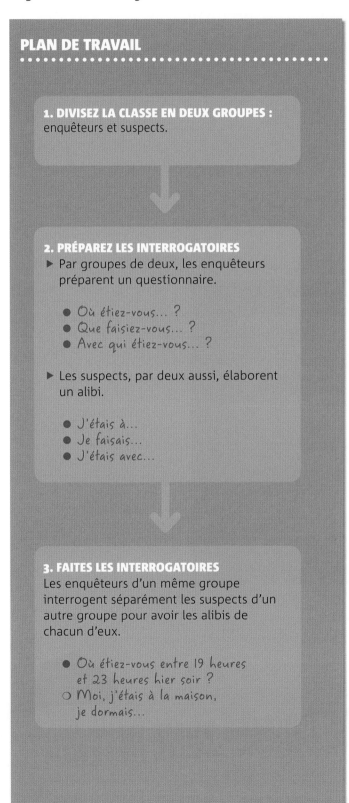

PLAN DE TRAVAIL
· ·

1. DIVISEZ LA CLASSE EN DEUX GROUPES :
enquêteurs et suspects.

2. PRÉPAREZ LES INTERROGATOIRES
▸ Par groupes de deux, les enquêteurs préparent un questionnaire.

- Où étiez-vous... ?
- Que faisiez-vous... ?
- Avec qui étiez-vous... ?

▸ Les suspects, par deux aussi, élaborent un alibi.

- J'étais à...
- Je faisais...
- J'étais avec...

3. FAITES LES INTERROGATOIRES
Les enquêteurs d'un même groupe interrogent séparément les suspects d'un autre groupe pour avoir les alibis de chacun d'eux.

- Où étiez-vous entre 19 heures et 23 heures hier soir ?
- Moi, j'étais à la maison, je dormais...

C. Les enquêteurs comparent les réponses des suspects et cherchent des contradictions. Si cela est nécessaire, ils peuvent poser d'autres questions plus précises.

- Vous dites que vous étiez au restaurant. Pouvez-vous décrire le serveur ?

D. Après les interrogatoires, les enquêteurs décident si leurs suspects sont coupables ou non.

- Aleksandra et Nadia sont coupables : Aleksandra dit qu'elle est allée avec Nadia au restaurant à 21 heures, mais Nadia affirme...

Découvrez les activités 2.0
sur rond-point.emdl.fr

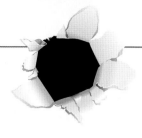

La passion des polars

Le « polar » ou roman policier a ses partisans inconditionnels en France.
D'après différentes statistiques, le roman policier et de suspense occupait,
en 2009, la 2ᵉ place des lectures préférées des Français.

9. HÉROS DE ROMAN POLICIER

A. Lisez la description de ces personnages de polars. Lequel aimerez-vous découvrir ?
Pourquoi ?

Personnages de polars

Voici deux célébrités de romans noirs.

SAN-ANTONIO
Le hareng
perd ses plumes

Fleuve Noir

San Antonio : Commissaire inventé par Frédéric Dard, il détient le record absolu d'apparitions : il figure dans 88 romans. Malgré le décor très français de la plupart de ses affaires, ce personnage est directement inspiré des romans noirs américains : beau gosse, passionné, aventurier, il ne recule devant aucun danger et se sort des situations les plus dangereuses avec brio et toujours un bon mot à la bouche. Il adore les femmes, mais vit avec sa maman à Neuilly.

LE POULPE
ANTOINE CHAINAS
2030 :
L'ODYSSÉE DE LA POISSE

BALEINE

Le Poulpe : De son vrai nom Gabriel Lecouvreur, ce personnage aux bras démesurément longs est la création conjointe de Jean-Bernard Pouy, Serge Quadruppani et Patrick Raynal, qui ont écrit ensemble sa première aventure. C'est un SDF qui cherche des affaires à résoudre pour son propre compte dans les pages « Faits divers » des journaux. L'originalité de la collection, c'est qu'elle sera ensuite écrite par des auteurs différents.

B. Aimez-vous ce genre de roman ? Est-il populaire dans votre pays ?

DE CRIME - ZONE INTERDITE SCÈNE DE CRIME - ZONE INTERDITE SC
DE CRIME - ZONE INTERDITE SCÈNE DE CRIME - ZONE INTERDITE SC

Un grand classique : Maigret

Jules Maigret est un personnage de fiction, connu dans le monde entier, protagoniste de 75 romans policiers et de 28 nouvelles de Georges Simenon. Cet auteur belge figure parmi les écrivains francophones les plus traduits dans le monde, et son œuvre a été adaptée au cinéma, à la télévision et même en bande dessinée. Voici la couverture et la première page de *Maigret et le fantôme*.

10. TOUJOURS NOIR

A. Remplissez la fiche du personnage de Maigret. Si vous ne trouvez pas les informations demandées, faites des suppositions. Vérifiez-les ensuite en faisant des recherches sur Internet.

Nom : Maigret
Prénom : Jules
Profession : ....
État civil : ....
Âge : ○ Plutôt 20 ans ?
○ Plutôt 30 ans ?
○ Plutôt 50 ans ?

B. À la lecture de la première page, quels sont les éléments inquiétants qui vous semblent connectés au titre du roman ? Faites-en la liste et comparez avec celle de vos camarades.

C. Dans ce genre de roman, on trouve souvent du lexique argotique. Après avoir écrit le mot en français standard, écrivez les équivalences dans votre langue, s'il y en a.

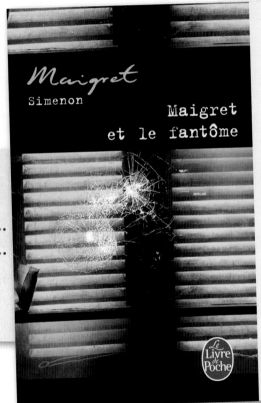

Maigret
Simenon
Maigret et le fantôme

1

Les étranges nuits de l'inspecteur Lognon et les infirmités de Solange

Il était un peu plus de une heure, cette nuit-là, quand la lumière s'éteignit dans le bureau de Maigret. Le commissaire, les yeux gros de fatigue, poussa la porte du bureau des inspecteurs, où le jeune Lapointe et Bonfils restaient de garde.

— Bonne nuit, les enfants, grommela-t-il.

Dans le vaste couloir, les femmes de ménage balayaient et il leur adressa un petit signe de la main. Comme toujours à cette heure-là, il y avait un courant d'air et l'escalier qu'il descendait en compagnie de Janvier était humide et glacé.

On était au milieu de novembre. Il avait plu toute la journée. Depuis la veille à huit heures du matin, Maigret n'avait pas quitté l'atmosphère surchauffée de son bureau, et, avant de traverser la cour, il releva le col de son pardessus.

7

français		dans votre langue
argot	**standard**	**argot**
flic	policier	
fric		
taule		
piquer		
balancer		

SCÈNE DE CRIME - ZONE INTERDITE SCÈNE DE CRIME - ZONE INTERDITE SCÈ

3 ET SI ON SORTAIT ?

Le Centre Belge de la Bande Dessinée

20 rue des Sables
1000 Bruxelles (Belgique)
Ouvert tous les jours (sauf lundi)
de 10 à 18 h
www.cbbd.be

BRUSSELS SIGHT JOGGING

Découvrez plus que lors d'une balade conventionnelle à pied.

Relaxez-vous après votre travail.

Visitez la capitale verte de l'Europe de manière responsable envers 'environnement

Courez à votre propre vitesse et profitez du parcours.

Rejoignez une communauté mondiale de voyageurs qui partagent un même état d'esprit.

web www.brusselssightjogging.com
e-mail info@brusselssightjogging.com
phone +32 471 666 424

FRANÇAIS /
LE FESTIVAL /
MIDIS/ MINIMES

25

VINGT-CINQUIÈME ÉDITION /

ÉTÉ /
2011

DU 01 JUILLET /
AU 31 AOÛT /

CONSERVATOIRE /

À /
12:15'

CONCERT
QUOTIDIEN /

INFORMATIONS :
02/512 30 79
www.midis-minimes.be

29.06 | ÉCRAN TOTAL
UNE AUTRE FAÇON DE PASSER L'ÉTÉ 2011
CINEMA ARENBERG : WWW.ARENBERG.BE
| 13.09

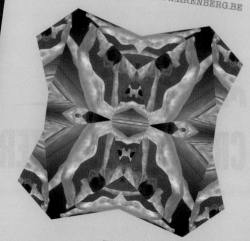

Nous allons organiser un week-end dans notre ville pour des amis français.

Croisières d'été à Bruxelles
5/07 → 21/08/2011

Découvrir Bruxelles, ville au bord de l'eau

● **Chaque jour (sauf lundi - excepté 11/07 et 15/08)**
Courte croisière (45 min.): à 14h, 15h, 16h, 17h.
Ad.: 4 € – enf. (3 à 11 ans): 3 € – < 3 ans: gratuit. Sans réservation.
Longue croisière (90 min.): à 12h. Possibilité de repas à bord.
Ad.: 6 € – enf. (3 à 11 ans): 5 € – < 3 ans: gratuit. Sur réservation.

● **Mardi, vendredi et samedi soir**
Croisière apéro (2h): vers Vilvorde et Grimbergen à 19h30.
Apéritif gratuit. Possibilité de repas à bord.
Ad.: 10 € – enf. (3 à 11 ans): 8 € – < 3 ans: gratuit. Sur réservation.

Départ: quai des Péniches - Bruxelles les Bains
(1/07 → 7/08)

Croisières au départ de Bruxelles
1/05 → 30/09/2011
Sur reservation!

● **Jeudi: croisière d'une journée → Anvers** + visite
Ad.: 29 € – enf.: 22 € – < 3 ans: 7 €
● **Samedi: croisière d'une journée → Pays de l'Escaut**
Ad.: 25 € – enf.: 18 € – < 3 ans: 5 €
● **Samedi/dimanche: croisière → passage de l'ascenseur de Strépy-Thieu/Plan Incliné de Ronquières**
Ad.: 29 €/35 € – enf.: 22 €/28 € – < 3 ans: 7 €

Info: **www.brusselsbywater.be**
Départ: quai Béco - avenue du Port

BATEAU-BUS
Mardi: bateau-bus vers Anderlecht, Beersel ou Hal et retour à vélo.
Jeudi: bateau-bus vers le parc des Trois Fontaines à Vilvorde. Retour en bateau.
Autres trajets et tarifs sur **www.bateaubus.be**

Source : Bruxelles by water

Lire dans les Parcs 2011

Illustration de Marie Koerperich

---

1. À VOUS DE CHOISIR !

Quelles sont les activités qu'on peut faire à Bruxelles ce week-end ?

- [ ] regarder un match de football
- [ ] aller en boîte
- [ ] lire et écouter des textes littéraires en plein air
- [ ] faire du roller
- [ ] découvrir la ville en faisant du sport
- [ ] visiter un salon ou une exposition
- [ ] aller au cirque
- [ ] faire une croisière
- [ ] faire du shopping
- [ ] aller au cinéma
- [ ] suivre un cours de retouche de photos
- [ ] aller à un concert de musique classique
- [ ] assister à un atelier de dégustation de vin
- [ ] voir un spectacle de marionnettes
- [ ] participer à une randonnée urbaine
- [ ] s'initier au jonglage avec des balles
- [ ] écouter une conférence

2. ÇA TE DIT ?

Piste 5

A. Écoutez ces conversations entre amis. Que feront-ils ce week-end ?

1. Mario et Lucas ....

2. Sonia et Nathanaël ....

3. Lise et Katia ....

B. Et vous ? Qu'est-ce que vous faites habituellement le vendredi ou le samedi soir ?

- ● Moi, le samedi soir, je vais souvent danser avec les copains.
- ○ Moi, le vendredi soir, je vais quelquefois au cinéma ou bien j'organise un repas à la maison.

3. UN PROGRAMME CHARGÉ

A. Ces personnes parlent de leurs projets pour le week-end. Luc, par exemple, aimerait sortir avec Roxane, mais va-t-elle accepter ? Regardez ces illustrations ; dans chacun des dialogues, une phrase manque. Replacez les phrases ci-dessous dans le dialogue correspondant.

☐ Qu'est-ce qu'on fait samedi soir ?

☐ Ça te dit de venir avec moi ?

☐ Moi, j'ai très envie d'aller danser.

☐ Euh, je suis désolé mais je ne suis pas libre samedi !

A

○ Allô !

● Bonjour Roxane ! C'est Luc !

○ Ah, bonjour Luc !

● Dis-moi, est-ce que tu es libre ce week-end ?

○ Euh... Oui, pourquoi ?

● Eh bien, j'ai deux entrées pour le concert de M samedi soir.

○ Ah oui ? Génial !

● ....

○ Oui, merci pour l'invitation !

B

○ Qu'est-ce que tu fais, toi, ce week-end ?

■ .... Avec Samuel, on va au Macadam Pub vendredi soir. Y a Tête en l'air, tu sais, le groupe de Phil. Ça va être génial ! Et toi, qu'est-ce que tu fais ?

○ Moi, devine avec qui je sors !

■ Avec Luc ? C'est pas vrai !!

○ Si si ! Il m'a invitée au concert de M.

■ Super !!

C

☐ .... ?

▲ Il y a le festival du film d'action pendant tout le week-end. Ils passent le dernier Besson.

▼ Ah je l'ai vu, c'est pas terrible !

☐ En plus, moi, les films d'action, c'est pas mon truc.

▲ Et si on allait au théâtre ? J'ai entendu parler de cette pièce avec Patrice Chéreau. Il paraît qu'elle est géniale.

▼ Ouais, pour moi c'est d'accord ! Et toi, Thomas ?

☐ Ouais, pour moi aussi ! On prévient Luc ?

▼ Ok, je m'en charge.

D

● Allô ?

▼ Allô ? Luc ?

● Ah ! Salut, Yasmine !

▼ Écoute, samedi soir on sort avec les copains. Tu veux venir ?

● ....

Piste 6

B. Écoutez les dialogues complets et vérifiez, puis résumez ce qu'ils vont faire ce week-end.

Luc va sortir *samedi soir* avec .... et ils vont aller ....

Sandra va sortir .... avec Samuel et ils vont ....

Yasmine va sortir .... avec .... et ils vont ....

C. Écoutez à nouveau. Vous avez remarqué comment...

▶ on propose de faire quelque chose ?
▶ on exprime un désir ?
▶ on accepte une proposition ?
▶ on refuse une invitation ?

4. LA VILLE ROSE

A. Lisez cet article sur Toulouse. Quelles activités aimeriez-vous faire dans cette ville ?

24 heures à... Toulouse

Nous continuons notre série **24 heures à...** consacrée aux lieux incontournables des villes françaises. Nous partons aujourd'hui pour Toulouse.

Toulouse, la Ville Rose, est une des villes où l'on vit le mieux en France. Ses atouts : sa douceur de vivre et un incontestable dynamisme économique et culturel. Toulouse mérite assurément le détour, lors d'une visite dans le Midi.

En matinée, vous pouvez prendre votre petit-déjeuner au **Temps des tartines**, 19 rue des Lois, à quelques pas du Capitole. Dans ce beau restaurant à thème, il faut absolument goûter aux tartines de pain complet et à la confiture de myrtilles maison, si la saison le permet. Il faut aller sur la **Place du Capitole**, admirer ses pierres roses et ses danseurs de Tecktonik ; **en fin de matinée**, visitez la **basilique Saint-Sernin**, un des plus vastes monuments romans d'Europe, **qui se trouve dans le même quartier**.

BASILIQUE ST SERNIN

L'après-midi, un bon choix est de se promener sur les bords de la Garonne, à pied ou à VéloToulouse, pour s'imprégner de l'atmosphère des berges. Vous pourrez ainsi parcourir plusieurs siècles d'architecture en quelques heures. Pour les inconditionnels du shopping : la **rue Saint-Rome** ou la **place Occitane**.

BORD DE GARONNE

Si vous êtes à la recherche des fameuses violettes de Toulouse, vous ne devez pas rater **La cité des violettes**, en face de la gare Matabiau, tout près du boulevard Pierre Sémard, au numéro 12 de la rue Bonnefoy : c'est un magasin spécialisé où vous trouverez mille et une variétés de violettes, la célèbre fleur toulousaine.

En soirée, vous pouvez dîner dans le centre, 20 place St-Georges, chez **Monsieur Georges**, connu pour ses spécialités régionales et pour son ambiance conviviale. Le cassoulet est délicieux et la cave très bien fournie. La nuit, Toulouse offre un vaste choix de boîtes et de bars. Notre coup de cœur : le **Maximo**, 3 rue Gabriel Perry, pour son excellent choix de musiques africaines.

Du petit matin à l'aube, en after, pour les plus courageux, à partir de 2 heures du matin : le **Dan's club**, le **Luna**. Mention spéciale pour l'**Opus**, 24 rue Bachelier, pour la déco : on peut écrire à la craie sur les murs. Poésie noctambule garantie !

PLACE DU CAPITOLE

● Moi, j'aimerais bien prendre le petit-déjeuner au Temps des tartines et aller en after à l'Opus.

B. Vous êtes plutôt du matin ou du soir ? Que faites-vous à vos heures préférées ?

C. Dressez une liste des activités qu'on peut faire lors d'une visite de 24 heures chez vous.

À Rome, on peut prendre le petit-déjeuner au Café Coppa, sur la place Dante Alighieri.
À Rio, il faut absolument se promener, à pied ou à vélo, sur l'avenue Vieira Souto, en bord de mer.
À Athènes, vous pouvez déjeuner au Café Colombo dans le centre-ville.

5. EN BOÎTE OU AU CINÉMA ?

A. Vous allez découvrir ce que les autres personnes de la classe ont fait ce week-end. Mais d'abord, remplissez vous-même ce questionnaire.

Je suis resté(e)	☐	chez moi.
	☐	chez ....
Je suis allé(e)	☐	au cinéma.
	☐	à un concert.
	☐	en boîte.
	☐	chez des amis.
	☐	ailleurs : ....
J'ai fait	☐	du football.
	☐	du skateboard.
	☐	une randonnée.
	☐	autre chose : ....
J'ai vu	☐	un film.
	☐	une exposition.
	☐	autre chose : ....

B. Par petits groupes, discutez de vos activités du week-end.

- ● Qu'est-ce que tu as fait ce week-end ?
- ○ Je suis allée à un concert de musique classique.

C. Quelles sont les trois activités les plus fréquentes dans votre classe ?

D. Vous avez déjà des projets pour le week-end prochain ? Parlez-en avec deux camarades.

- ● Moi, le week-end prochain, je vais aller au cinéma.
- ○ Eh bien moi, je vais peut-être sortir en boîte. Et toi ?
- ■ Moi, je ne sais pas encore.

6. J'AI A-DO-RÉ !

Mettez-vous par groupes de trois et parlez des lieux où vous êtes allés et que vous avez adoré (ou détesté !).

- ● Moi, j'ai adoré la Sicile. C'était très beau, vraiment ! Il faisait un temps splendide et il y avait très peu de touristes dans le village où nous sommes allés.
- ○ Et il y a un lieu que tu as détesté ?

7. CE WEEK-END, ON SORT !

A. Imaginez qu'un ami vienne passer le week-end dans votre ville. Pouvez-vous lui recommander des lieux où aller ?

VILLE : Munich

LIEU À VISITER : l'Englischer Garten

OÙ : L'Englischer Garten est au nord-est de Munich dans le quartier de Schwabing.

POURQUOI : J'adore l'Englischer Garten parce que c'est un des plus grands parcs de ville du monde. En plus, c'est tout près du centre-ville. Une curiosité : la Maison de thé japonaise et son jardin, une merveille !

B. Comparez vos fiches et commentez-les.

- ● Moi, je ne savais pas qu'il y avait un grand parc dans Munich, ça a l'air chouette !
- ○ Oui, c'est super. Tu te promènes dans le centre-ville et tout à coup tu te retrouves à la campagne.

DÉCRIRE ET ÉVALUER QUELQUE CHOSE	PROPOSER, SUGGÉRER QUELQUE CHOSE	ACCEPTER OU REFUSER UNE PROPOSITION

DÉCRIRE ET ÉVALUER QUELQUE CHOSE

- ● *Tu es allé au cinéma ?*
- ○ *Oui, j'ai vu le dernier film de Besson.*

C'était (vraiment) super.
génial.
nul.

C'était (très) beau.
mauvais.
bien.
sympa.

PROPOSER, SUGGÉRER QUELQUE CHOSE

- ▶ **Ça me / te / vous /... dit de / d'** + infinitif **?**
- ● **Ça te dit de** manger un couscous ?
- ○ Non, **ça ne me dit** rien du tout.

- ▶ **(Et) si on** + imparfait + **?**
- ● **Et si on allait** en boîte ?
- ○ C'est une bonne idée.

- ● **Et si on regardait** un film à la télé **?**
- ○ Oh, non !

ACCEPTER OU REFUSER UNE PROPOSITION

- ▶ Pour accepter :

Volontiers !
(C'est) D'accord !
(C'est) Entendu !

- ▶ Pour refuser :

je ne suis pas libre.
je ne suis pas là.
(Je suis) désolé(e), mais je ne peux pas.
je n'ai pas le temps.
j'ai beaucoup de travail.

8. RENDEZ-VOUS

Par groupes, lisez les activités proposées cette semaine dans votre ville.
Mettez-vous d'accord pour en choisir une ensemble.

- ● Ça te dit d'aller au bowling samedi ?
- ○ Je voulais faire l'atelier de confection de pain.
- ● On peut y aller après l'atelier...

LE FUTUR PROCHE

- ● Qu'est-ce que **tu vas faire** ce week-end ?
- ○ **Je vais dormir.**

SITUER DANS LE TEMPS (2)

- ● Quand est-ce qu'on va chez Martin ?
- ○ **Samedi** soir.
- ○ **(Dans)** l'après-midi.
- ○ **En soirée / En fin de matinée.**
- ○ **À midi.**

INDIQUER UN LIEU

*Dans le sud / l'est / l'ouest / le nord de
   l'Espagne*
Au sud / au nord / à l'est / à l'ouest de Paris
À Berlin
Au / Dans le centre de Londres
Au centre-ville
Dans mon quartier / la rue
Pas loin de chez moi
(Tout) près de la fac / du port
(Juste) à côté de la gare / du stade

Sur le boulevard / la place du marché
À la piscine / Au Café des sports
Au 3 rue de la Précision
En face de la gare
Au bord de la mer / de la Garonne

- ● *Je vous recommande la pizzeria
  « Chez Geppeto ».*
- ○ *Ah bon ? C'est où ?*
- ● *Tout près de chez moi, place de la Fontaine.*

9. UN PROGRAMME PERSONNALISÉ

A. Votre école et celle de Charline, Rachid et Sarah ont organisé un échange. Lisez les présentations qu'ils ont laissées sur le blog de l'école et pensez aux endroits ou aux événements que vous pourriez leur recommander chez vous en fonction de leurs goûts. Parlez-en avec le reste de la classe.

http://echangesrond-point.blogspot.com/

Blog du voyage d'échange de l'école Rond-Point

INFORMATIONS GÉNÉRALES **PRÉSENTATIONS DES ÉTUDIANTS** **PROPOSITIONS DE PROGRAMME**

Nom : Loiseau · **Prénom :** Sarah
Courriel : lsarah@mot.com

J'aime la nature (je fais de la randonnée) et je fais partie d'une association écologiste. Je suis vétérinaire. J'aime lire, surtout des romans d'aventures et de voyages (je suis fan de Jules Verne !) et je rêve de voyager dans le monde entier.

Nom : Agili · **Prénom :** Rachid
Courriel : rachidagili@prop.com

J'adore le football (Vive le Paris Saint-Germain !), le cinéma d'action (je fais des courts métrages avec des copains), la B.D. (surtout les mangas). Je m'ennuie très vite, alors j'ai besoin de bouger beaucoup ! Je suis en troisième année d'économie.

Nom : Boudou · **Prénom :** Charline
Courriel : charline@wanadoo.fr

Salut ! Je suis une jeune Parisienne qui adore la musique (je joue de la guitare dans un groupe) et les sports (natation, VTT, courses de motos). Je suis stagiaire dans un cabinet d'avocats. Je suis très ouverte, curieuse de tout et j'adore faire la fête avec mes amis.

● Sarah aime la nature. Elle pourrait visiter le jardin botanique. Il y a...

B. Ils arrivent vendredi soir ! Chacun décide lequel des trois il / elle veut accompagner ce week-end. Formez ensuite des groupes avec les camarades qui veulent accompagner la même personne.

- Rachid aime le football et moi aussi.
- Charline est comme moi, elle adore la musique.

C. Maintenant, faites des propositions d'activités pour le week-end et discutez-en avec vos camarades. Essayez de prévoir les réactions de vos invités.

- Et si on allait en boîte vendredi soir ?
- Non, ils vont être trop fatigués.
- On pourrait les emmener au restaurant alors ?
- Oui, au Fidèle ! Ils vont adorer l'ambiance !

D. Écrivez le document que vous allez mettre sur le blog de l'école avec vos propositions pour le week-end.

PROGRAMME POUR LE WEEK-END

VENDREDI SOIR
- Nous supposons que vous serez trop fatigués pour sortir, alors...

SAMEDI
- Le matin, nous visiterons...
- Après dîner, nous irons...
- Nous rencontrerons les autres groupes à l'école avant de partir à...

DIMANCHE

vos stratégies ❌

La production d'un document collectif, quelle qu'en soit la langue, requiert une organisation par étapes qui commence par un remue-méninges (échanges d'idées) et une négociation pour n'en retenir que les plus pertinentes. Dans un deuxième temps, il faudra organiser ces idées autour d'un plan.

 Découvrez les activités 2.0 sur rond-point.emdl.fr

10. THÉÂTRE DE RUE

Lisez le texte suivant. À quoi fait référence l'expression de « quatrième mur » ?
Discutez-en avec un camarade.

Un théâtre populaire

Le théâtre de rue est une forme de théâtre qui se veut l'héritière directe des spectacles du Moyen Âge. Ravivé en France et au Canada dans les années soixante en réaction à un théâtre de salle figé et « bourgeois », ce type de représentations voulait rendre le théâtre plus accessible au grand public. Au départ, le théâtre de rue est un spectacle qui prétend mettre en scène les inquiétudes des citoyens en faisant voler en éclats le « quatrième mur » traditionnel : on y parle politique, actualité, problèmes sociaux, la plupart du temps sur un ton humoristique et burlesque.

Très vite, d'autres disciplines artistiques l'ont rejoint : la danse, les marionnettes, le cirque et la magie, donnant aux spectacles une dimension très festive. Aujourd'hui, il existe de nombreuses troupes spécialisées dans le théâtre de rue et, tous les ans, surtout en été, des dizaines de festivals sont organisés un peu partout en France.

11. LA RUE EST À NOUS

A. Lisez l'article ci-dessous. Les arts de la rue réunissent-ils autant de public chez vous ?

La France, championne des arts de la rue

Des milliers de spectateurs, des centaines de compagnies, 250 festivals par an en France : après le cinéma, les arts de la rue sont le genre qui réunit le plus grand nombre de Français, soit 34 %. « C'est un domaine en pleine expansion. En trente ans, les Français sont devenus les champions du monde dans cette catégorie », assure Pierre Prévost, président de la Fédération nationale des arts de la rue, qui comprend 400 adhérents.[...]

« On jouit d'une vraie popularité, car on est dans un divertissement positif, festif, c'est un rendez-vous familial, où les enfants sont devenus les nouveaux spectateurs », ajoute Jean-Marie Songy, directeur artistique de Furies, festival de cirque et de théâtre de rue à Châlons-en-Champagne. [...]

Source : © lefigaro.fr / 2011

Compagnie de théâtre Un, deux, trois... Soleils !

B. Quel genre de spectacle préférez-vous ? Dans un espace ouvert ou dans une salle ?

12. LE PLUS GRAND SPECTACLE DU MONDE

A. Lisez ce texte. Comment peut-on caractériser cette évolution historique du cirque ?
À votre avis, qu'est-ce qui l'a provoquée ? Que pensez-vous de cette évolution ?

Le nouveau cirque

Dans les années 1970, le cirque s'essouffle, alors qu'au même moment le mouvement du nouveau cirque fait son apparition en France. Celui-ci est porté par la démocratisation de ce type de divertissement, avec l'ouverture d'écoles de cirque agréées par la Fédération française des écoles de cirque. Le cirque s'ouvre et se remet en question avec des spectacles davantage théâtralisés (comme ceux d'Archaos, du Cirque Baroque, du Cirque Plume, de Zingaro, de la Compagnie Mauvais Esprits...). Il remet en question les conventions de ce qu'on appelle désormais le « cirque traditionnel », lequel ne disparaît pas mais évolue en assimilant certaines innovations.

Plus récemment, la dernière génération d'artistes revendique une identité plus forte encore que celle du nouveau cirque et se revendique d'un « cirque contemporain » (dans les années 1990) ou d'un « cirque de création » (dans les années 2000). Les frontières entre les disciplines deviennent de plus en plus floues et les spectacles s'inspirent de plus en plus du mouvement, de la performance, ou encore de la danse contemporaine, tout en s'éloignant du côté spectaculaire ou sensationnel caractéristique du cirque traditionnel et même du nouveau cirque.

Cirque Plume, *L'atelier du peintre* par Henri Brauner

B. Le cirque probablement le plus connu au monde est le Cirque du Soleil. Lisez le texte suivant pour connaître son origine et son originalité.

Le Cirque du Soleil

Le Cirque du Soleil est une entreprise québécoise de divertissement artistique spécialisée en cirque contemporain. Son siège social se trouve à Montréal, au Québec (Canada), dans le quartier Saint-Michel. Il a été fondé en 1984 à Baie-Saint-Paul par deux anciens artistes de rue, Guy Laliberté et Daniel Gauthier. La compagnie se distingue par une vision artistique différente du cirque traditionnel, avec notamment l'absence d'animaux, une grande importance donnée au jeu des comédiens et une priorité accordée aux numéros d'acrobatie.

4 SOCIÉTÉ EN RÉSEAU

Nous allons organiser un débat sur l'installation de caméras de surveillance dans notre ville.

1. PROFIL D'INTERNAUTE

A. Combien de temps passez-vous sur Internet ? Quel type d'internaute pensez-vous être ?

▶ Un « accro » au web : plus de 10 heures par jour
▶ Un utilisateur assidu : entre 7 et 9 heures par jour
▶ Un utilisateur fréquent : entre 3 et 6 heures par jour
▶ Un utilisateur occasionnel : entre 1 et 2 heures par jour
▶ Un « réfractaire » au web : jamais

● Moi je suis accro au web, j'y passe plus de 10 heures par jour.
○ Moi...

B. Sur quels types de sites passez-vous le plus de temps ? Classez-les par ordre de fréquentation.

Le site de votre messagerie électronique
Les sites de vos réseaux sociaux
Les sites de presse
Les sites de jeux en ligne
Les sites de musique en ligne
Les sites de téléchargement
Les sites d'achats en ligne
Les encyclopédies en ligne
Les sites de rencontres
Les chats
Les sites de plans (villes, pays...)
Les sites de vidéos en ligne

C. Comparez vos réponses avec celles du reste de la classe. Quels types de sites sont les plus visités ?

2. RÉSEAUX SOCIAUX ET VIE PRIVÉE

A. Lisez cet extrait d'un chat sur les réseaux sociaux organisé par un journal. Identifiez les inquiétudes et les solutions évoquées.

L'indépendant

| ACCUEIL | POUR ÉCRIRE À L'AUTEUR | S'ABONNER | ARCHIVES |

Réseaux sociaux : faut-il s'en méfier ?

Elisabeth Chordis, docteur en ingénierie informatique, répond aux questions des internautes sur les problèmes que posent les réseaux sociaux.

Sylvain : Je me pose beaucoup de questions sur les données me concernant et qui circulent sur le web. Y a-t-il un moyen de les contrôler ou de les supprimer ?

E.C : Malheureusement pour l'instant, il est très difficile de maîtriser ce qui circule sur la Toile. **Même si** vous poursuivez tous les auteurs de toutes ces utilisations abusives de votre image, vous aurez très peu de possibilités d'action. La meilleure façon de garder le contrôle de votre identité sur l'espace numérique, c'est encore de la créer vous-même, **car** si vous ne le faites pas, elle sera créée par les autres.

Webaddict : Je ne suis pas d'accord : on ne trouve sur le web que ce que vous y mettez. Si vous faites attention, il n'y a aucun danger. **Par contre**, si vous négligez certains paramètres techniques, vous vous exposez à ce que votre identité soit piratée.

E.C. : Ce n'est pas tout à fait vrai : le propre des réseaux sociaux, c'est que vous n'êtes pas le seul à manipuler votre image. **Autrement dit**, d'autres y ont accès et ils peuvent l'utiliser.

SofiX : **En effet**, certains réseaux vous demandent même de signer une licence perpétuelle et irrévocable pour le monde entier : il y a de quoi avoir peur !

Gamin4Phil : D'accord, **mais** il faut être réaliste : **d'une part**, les réseaux sociaux font partie de notre vie, que nous le voulions ou pas. Pour ceux qui en sont fatigués, ils peuvent à tout moment décider de faire un « seppuku virtuel » : il y a maintenant des sites web qui peuvent vous aider à « disparaître » de la Toile. **D'autre part**, il y a toutes sortes d'avantages à leur utilisation, autrement personne ne les utiliserait ! Aujourd'hui, des révolutions se préparent sur la Toile. **Aussi**, je pense que la question n'est pas tant de résister à ces réseaux, que de savoir comment bien les utiliser à son profit.

B. Écoutez la conversation entre Nico, Claire et Dany, qui ont suivi ce chat. Quelle est la position de chacun vis-à-vis des réseaux sociaux. De qui vous sentez-vous le plus proche ?

Piste 7

● Moi, je suis assez d'accord avec Claire, parce que je pense aussi que...
○ Moi, je suis plus proche de Dany, parce que...

C. Relisez ce chat et observez les expressions en gras. Donnez-en un équivalent en français ou une traduction et discutez-en avec votre professeur.

3. LE DÉBAT EST OUVERT !

A. Lisez cet article sur l'accroissement des mesures de sécurité et les positions des internautes sur ce sujet. Ensuite, indiquez dans le tableau qui est pour et qui est contre.

L'ACTUALITÉ

Recherchez sur lactualite.nrp

Recevez gratuitement notre bulletin

ACCUEIL   ACTUALITÉS   **DÉBATS**   POLITIQUE   SOCIÉTÉ

Sécurité ou liberté ?

Installation de caméras de surveillance, multiplication de milices privées sur le territoire, surveillance de notre courrier électronique, des dispositifs pour faire face aux menaces terroristes, des lois donnant de nouveaux pouvoirs à la police pour lutter contre la criminalité générale…
La sécurité est devenue un thème majeur du débat politique ; mais jusqu'à quel point nos libertés individuelles sont-elles mises à mal ? Points de vue.

Vos réactions (6)

Isabelle
S'il s'agit de lutter contre la criminalité à petite ou grande échelle, alors il n'y a pas d'hésitation à avoir. Tout ce que peuvent nous offrir les nouvelles technologies est bon à prendre et je ne crois pas qu'il faille s'en priver. Bien sûr, les risques de dérive existent, mais je pense qu'on peut les contrôler ; les lois sont faites pour ça.

uncertain
Ce qui se passe est très inquiétant et je ne pense pas que ce soit un hasard. Sous prétexte de lutter contre la criminalité ou le terrorisme, on en profite pour restreindre nos libertés individuelles. On préfère sanctionner plutôt que prévenir et informer. Mais voilà : un peuple qui a peur est plus facilement gouverné.

Maurice
Je pense que plus ça va, plus on nous demande de supporter des mesures liberticides. Je ne veux pas être filmé tous les jours, je ne veux pas qu'on aille vérifier quels sites je consulte. Toute cette histoire de sécurité, c'est de la poudre aux yeux pour nous faire oublier les vrais problèmes.

Babette66
Je ne sais pas ce que vous en pensez, mais moi ça me rassure de savoir que mes enfants n'ont pas accès à certains sites et que, s'ils y accédaient, je le saurais. Je veux les protéger, alors j'utilise tout ce qui est disponible. Les considérations sur la liberté passent après !

Valérie
Je crois que faire des concessions sur notre liberté, c'est un moindre mal : certes, je n'aime pas être filmée 24 heures sur 24, mais j'avoue que, dans mon quartier, c'est indispensable. Quand je rentre tard le soir chez moi, je préfère savoir que quelqu'un me surveille.

J.M.
Dans quelle société vivons-nous ? Devons-nous avoir peur de notre voisin ? Je vous dirais honnêtement que je préfère me passer de tous ces gadgets inutiles qui se multiplient dans notre ville et je préférerais que l'on utilise l'argent de mes impôts pour l'aménagement de crèches et d'espaces verts.

	Pour les mesures de sécurité	Contre les mesures de sécurité
Isabelle		
uncertain		
Maurice		
Babette66		
Valérie		
J.M.		

B. Et vous, qu'en pensez-vous ? La sécurité est-elle un objet de débat dans votre pays ? Discutez-en dans la classe.

vos stratégies

Après la lecture d'un article en ligne, habituez-vous à lire en diagonale les réactions des internautes : il ne s'agit ni de tout lire ni de tout comprendre, mais de survoler rapidement les textes de ces internautes pour repérer les mots et les idées-clés, afin d'avoir un rapide aperçu de leurs opinions.

4. DES APPLICATIONS ÉTONNANTES !

A. Lisez la présentation de ces applications pour smartphone. Laquelle achèteriez-vous volontiers ?

iPomme

Fonctionnalités | Design | Galerie | Caractéristiques techniques

LES PLUS VENDUES

MétéoVague

Surfeurs, *MétéoVague* est l'application qu'il vous faut : elle vous donne les conditions actualisées de tous les spots du monde. Vent, vagues, température de l'eau : toutes les informations dont vous avez besoin pour profiter au maximum de vos planches.

Quel temps ?

Une application dont le fonctionnement est très simple et qui vous donne la météo où que vous soyez. Avec surtout des données constamment fiables : elles sont actualisées toutes les 20 minutes !

Lisons

Lisons vous donnera toutes les informations sur les livres dont tout le monde parle mais que vous ne trouvez pas. Commandez les livres que vous voulez ou offrez-les dans des éditions spéciales dont vous pourrez personnaliser la couverture.

Ça pousse !

Vous n'avez pas la main verte ? Avec cette application, découvrez les secrets des plantes que vous aimez : conseils, trucs et astuces pour faire pousser des petites merveilles dont vous pourrez être fiers !

Rires

Vous vous ennuyez au bureau ou en soirée ? Cette application vous fera oublier votre ennui et souffler : une rafale de fous rires dont vous pouvez régler les paramètres (nombre de personnes, sexe, type de rire…). Irrésistible !

B. Observez les phrases avec **dont**. Comment fonctionne ce pronom relatif ? Discutez-en avec votre professeur.

C. À vous de créer une application. Par petits groupes, imaginez son nom et ses fonctions, et rédigez sa présentation. Quelle est l'application qui remporte le plus grand succès dans la classe ?

LE PRÉSENT DU SUBJONCTIF

Il se forme avec le radical du verbe à la 3e personne du pluriel du présent de l'indicatif pour **je**, **tu**, **il** et **ils**, et les formes de l'imparfait pour **nous** et **vous**.

	DEVOIR
ils doivent	que je doive
	que tu doives
	qu'il / elle / on doive
	qu'ils / elles doivent
nous devions	que nous devions
vous deviez	que vous deviez

Les verbes **être**, **avoir**, **faire**, **aller**, **savoir**, **pouvoir**, **falloir**, **valoir** et **vouloir** sont irréguliers.

	AVOIR	ÊTRE
que je / j'	aie	sois
que tu	aies	sois
qu'il / elle / on	ait	soit
que nous	ayons	soyons
que vous	ayez	soyez
qu'ils / elles	aient	soient

LE PRONOM RELATIF DONT

Dont peut être :

▶ complément de nom.
   *Je connais un gars **dont** le père est policier à Lille. (= le père de ce gars est policier)*

▶ complément d'un verbe construit avec la préposition **de**.
   *La privacité des données sur Internet est une question **dont** on parle souvent. (= on parle souvent de cette question)*

5. QU'EN PENSEZ-VOUS ?

A. Lisez ces phrases : êtes-vous d'accord ou pas d'accord ?

▢ Il existe des talents naturels.

▢ Aujourd'hui, on finit ses études de plus en plus tôt.

▢ Les femmes font plus attention à leur ligne que les hommes.

▢ On ne connaît jamais tout de son compagnon.

▢ On est toujours responsable de ce qui nous arrive.

▢ Il y a des langues plus faciles à apprendre que les autres.

▢ Pour réussir dans la vie, il faut avoir des diplômes.

▢ L'homme veut toujours accroître son pouvoir sur la nature.

▢ On ne peut jamais choisir son destin.

● Moi, je ne crois pas qu'on soit toujours responsable de ce qui nous arrive.

B. À votre tour, exprimez des idées polémiques que vous soumettrez à la classe.

● Moi, je ne crois pas que les Jeux olympiques puissent être bénéfiques pour une ville.
○ Moi, je ne pense pas que...

6. IL S'AGIT DE...

Piste 8

A. L'animateur de ce débat télévisé annonce le thème de l'émission par une sorte de petite énigme. Écoutez ces quatre introductions et, à deux, faites des hypothèses sur les thèmes abordés.

	Indice	Mots-clés	Thème abordé
1	C'est un moment...		
2	C'est un thème...		
3	C'est un gaz...		
4	C'est un engin...		

B. Sur le même modèle, préparez une petite introduction sur un thème de votre choix puis lisez-la à haute voix. Vos camarades doivent deviner ce dont il va s'agir.

7. DILEMMES

A. Par groupes de quatre, choisissez un des thèmes suivants, ou un autre de votre choix. Dans le même groupe, deux d'entre vous vont prendre parti pour une option et les deux autres pour l'option contraire.

▶ Prendre la voiture ou les transports publics.
▶ Vivre en ville ou à la campagne.
▶ Étudier le français ou une autre langue.
▶ Travailler à l'étranger ou dans son propre pays.
▶ ...

B. Chaque binôme prépare son argumentation et défend brièvement son point de vue en réagissant aux arguments des autres. Utilisez des connecteurs logiques.

● C'est vrai que si on prend la voiture, on a plus de liberté que si on se déplace avec les transports publics, mais...

EXPRIMER UN POINT DE VUE

À mon avis, D'après moi, Je pense que Je crois que	+ indicatif
Je ne pense pas que Je ne crois pas que	+ subjonctif

Je pense que les caméras **sont** une solution.
Je ne pense pas que les caméras **soient** une solution.

LES EXPRESSIONS QUI ORGANISENT LE DÉBAT

On sait que la sécurité est un sujet très important.
En tant que sociologue, je dois dire que...
En ce qui concerne la violence dans certains quartiers, je trouve que...
D'une part, les parents ne surveillent pas suffisamment leurs enfants, **d'autre part...**
D'ailleurs, nous ne pouvons pas prétendre que les caméras résolvent tous les problèmes...

Les caméras sont aussi responsables d'une partie du problème, **c'est-à-dire que**...
En effet, l'insécurité n'est pas la seule responsable de...
Je ne partage pas l'avis de M. Delmas.
Certes, les parents doivent surveiller leurs enfants, **mais** Internet est une source d'information et...
Certains responsables de sites, **par contre**, ne comprennent pas qu'ils ont un rôle...

8. POUR OU CONTRE ?

A. L'émission télévisée *Parlons-en !* aborde ce soir le thème des caméras de surveillance. Écoutez la présentation des invités et complétez leur fiche.

Piste 9

TV22

Marina Draman

• Mère au foyer

• 42 ans

❑ pour / ❑ contre

• Argument :

....

....

TV22

Pascal Lenne

• Président de l'Association pour la défense des libertés individuelles

• 38 ans

❑ pour / ❑ contre

• Argument :

....

....

TV22

François Canneau

• Capitaine de gendarmerie

• 46 ans

❑ pour / ❑ contre

• Argument :

Les caméras sont inefficaces.

TV22

Denis Lambert

• Directeur de CamReport

• 37 ans

❑ pour / ❑ contre

• Argument :

....

....

LA SUCCESSION DES ÉVÉNEMENTS

Des mots comme **d'abord**, **ensuite**, **puis**, **après** et **enfin** indiquent la succession des événements dans un récit.

>*D'abord*, j'ai pris mon petit déjeuner.
>*Ensuite*, je me suis douché.
>*Puis*, je me suis habillé.
>*Après*, je suis sorti.
>Et *puis*, j'ai pris l'autobus.
>*Enfin*, je suis arrivé au travail.

Un moment antérieur

▶ **Avant** + nom

>*Avant* les examens, j'étais très nerveuse.

▶ **Avant de** + infinitif

>*Avant de* passer mes examens, j'étais très nerveuse.

Un moment postérieur

▶ **Après** + nom

>*Après le déjeuner*, ils ont joué aux cartes.

▶ **Après** + infinitif passé

>*Après avoir déjeuné*, ils ont joué aux cartes.

L'infinitif passé se forme avec l'auxiliaire **être** ou **avoir** à l'infinitif suivi du participe passé du verbe.

>*J'ai décidé de devenir médecin après **avoir vu** le film Johnny s'en va-t-en guerre de Dalton Trumbo.*

>*Après **être montés** jusqu'au sommet du Mont-Blanc, à 4 807 mètres d'altitude, ils sont redescendus jusqu'à Chamonix.*

Avant de parler, il faut tourner sept fois sa langue dans sa bouche !

3 ET SI ON SORTAIT ?

LE FUTUR

En français, pour exprimer le futur, on peut utiliser :

▶ le présent, accompagné d'une expression de temps.
*Demain, **je vais** au théâtre avec Delphine.*

▶ le futur simple.
*Ce film **sortira** mercredi dans les salles.*

▶ le futur proche.
*Comme il est tard, **nous allons prendre** un taxi pour rentrer.*

LE FUTUR PROCHE

Le futur proche sert à exprimer une action perçue comme étant inéluctable. Même si on parle de futur « proche », il peut indiquer une action plus lointaine dans le temps.

*L'année prochaine, **nous allons nous installer** au Québec.*

Actuellement, on constate que le futur proche a tendance à remplacer le futur simple, surtout à l'oral.

Formation

Pour former le futur proche, on conjugue le verbe **aller** au présent de l'indicatif suivi de l'infinitif du verbe.

*Je sens que **je vais adorer** ce spectacle !*

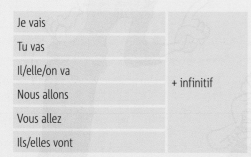

Je vais	
Tu vas	
Il/elle/on va	+ infinitif
Nous allons	
Vous allez	
Ils/elles vont	

À la forme négative, on place **aller** entre les deux éléments de la négation.

*Rien qu'au titre, je sens que **je ne vais pas aimer** ce film !*

DÉCRIRE ET ÉVALUER QUELQUE CHOSE

- *Ce film, c'était nul !*
- *Mais non ! C'était génial !*

Ce spectacle de danse, c'était très original, tu ne trouves pas ?

Pour insister sur l'appréciation, on peut répéter plusieurs fois **très** ou utiliser **vraiment**.

- *Ce concert de musique, c'était **vraiment** génial !*
- *Ah, oui ? Tu trouves ?*
- *Oui, vraiment **très très** chouette.*

On peut aussi dire :
C'était très bien hier en discothèque !

Pour donner une opinion plus tempérée :
C'était pas mal. J'ai bien aimé.

PROPOSER, SUGGÉRER QUELQUE CHOSE

On peut employer plusieurs structures pour proposer à quelqu'un de faire quelque chose.

▶ **Ça me / te / lui / nous / vous / leur dit de / d'** + infinitif **?**

- ***Ça te dit d'aller prendre** un verre ?*
- *Oui, **ça me dit** bien.*

***Ça te dit d'aller** au ciné ?*
***Ça vous dit de faire** du ski ?*
***Ça lui dit d'aller** manger une pizza ?*
***Ça leur dit de visiter** un musée ?*

Une façon délicate de faire une proposition sans brusquer l'interlocuteur est d'utiliser le conditionnel.

*Ça te **dirait** de venir chez moi demain ?*

▶ **Si on** + imparfait ?

Pour inciter quelqu'un à faire quelque chose ou lui proposer de faire quelque chose avec vous.

- *Et **si on allait** au cinéma ce soir ?**
- *Oui, d'accord, à quelle heure ?*

Le **on a ici la signification de **nous**, mais il se conjugue à la troisième personne du singulier.*

Précis de grammaire

ACCEPTER OU REFUSER UNE PROPOSITION

▶ Pour accepter :
Volontiers !
(C'est) D'accord !
(C'est) Entendu !

Si on hésite, on peut avoir recours à **pourquoi pas ?**

- ● *On va au cinéma ce soir ?*
- ○ *D'accord, **pourquoi pas ?***

▶ Pour refuser :

	je ne suis pas libre.
	je ne suis pas là.
(Je suis) désolé(e), mais	*je ne peux pas.*
	j'ai beaucoup de travail.
	je n'ai pas le temps.

En français, pour refuser une proposition, on ne dit pas **non** directement mais on accompagne ce refus d'une excuse pour le justifier.

> Je peux compter sur vous pour garder mon petit chien ?

> Désolé, je suis allergique...

> Je ne peux pas, mon appartement est trop petit.

INDIQUER UN LIEU

Pour situer / se situer dans l'espace ou indiquer un lieu, on emploie des prépositions ou des locutions prépositionnelles qui varient selon l'espace en question.

- ● *Ce théâtre se trouve **dans** une petite rue derrière la place.*
- ○ *C'est curieux, nous sommes passés **dans** cette rue mais nous ne l'avons pas vu.*

Dans le sud / l'est / l'ouest / le nord de l'Espagne
Au sud / au nord / à l'est / à l'ouest de Paris
À Berlin
Au / Dans le centre de Londres
Au centre-ville
Dans mon quartier / la rue
Pas loin de chez moi
(Tout) près de la fac / du port
(Juste) à côté de la gare / du stade
Sur le boulevard / la place du marché
À la piscine / Au Café des sports
Au 3 rue de la Précision
En face de la gare
Au bord de la mer / de la Garonne

- ● *Je vous recommande la pizzeria « Chez Geppeto ».*
- ○ *Ah bon ? C'est où ?*
- ● ***Tout près de** chez moi, place de la Fontaine.*

Attention ! Dans le sud / Au sud de

*Montpellier se trouve **dans le sud** de la France mais Barcelone se trouve **au sud de** la France.*

SITUER DANS LE TEMPS (2)

Les jours de la semaine

On emploie les jours de la semaine sans article pour se référer au jour qui précède ou qui arrive. Pour être plus précis, on peut l'accompagner de **dernier** ou de **prochain**.

> *Samedi (**dernier**), je suis allé au cinéma.*
> *Samedi (**prochain**), je vais au cinéma.*

On emploie les jours de la semaine précédés d'un article déterminé pour exprimer l'habitude.

> *En France, les enfants n'ont généralement pas cours **le mercredi**.*

Les moments de la journée

En français, on découpe traditionnellement la journée (durée d'un jour), en quatre périodes :

▶ Le matin (jusqu'à 12 h ou midi).

▶ L'après-midi (à partir de 12 h ou midi)

▶ Le soir (le soir commence plus ou moins tôt, selon la saison, la région et les personnes. Généralement, il commence vers 18 h et finit à minuit)

▶ La nuit (période où il fait noir, qui peut coïncider avec une partie du matin ou du soir).

> *__Le matin__, je me lève vers sept heures.*
> *__L'après-midi__, je rentre du travail vers dix-sept heures.*
> *__Le soir__, je me couche après vers onze heures.*
> *__La nuit__, je me lève souvent pour donner le biberon.*

Précédés d'un jour de la semaine, ces moments s'emploient sans article :

> *__Mercredi après-midi__, nous allons voir un spectacle de marionnettes avec les enfants.*

Si on veut insister plus sur la durée, on emploie **la matinée** et **la soirée**. **L'après-midi** exprime aussi bien le moment que la durée.

> ● *Votre commande sera livrée **dans la matinée**, ça vous convient ?*
> ○ *Oui, mais seulement **en début de matinée** car je vais sortir à dix heures.*

> *Nous avons passé une excellente **soirée** : après le cinéma, nous sommes allés prendre un verre.*

Attention ! Dans le monde du spectacle, la matinée désigne une séance qui a lieu l'après-midi.

La nuitée s'emploie uniquement pour parler d'une nuit passée à l'hôtel ou au camping.

4 SOCIÉTÉ EN RÉSEAU

EXPRIMER UN POINT DE VUE

Pour introduire une opinion, on peut employer différentes formules.

Placées en tête de phrase, suivies d'une virgule, on peut employer des expressions telles que :

À mon avis,	
D'après moi,	+ indicatif
Selon moi,	

À mon avis, *nos libertés sont remises en cause par l'omniprésence de la technologie.*

On peut aussi formuler un point de vue avec un verbe d'opinion.

Je pense que	+ indicatif
Je crois que	
Je ne pense pas que	+ subjonctif
Je ne crois pas que	

Je pense qu'Internet *est* / *sera de plus en plus présent dans nos vies.*
Je ne pense pas qu'il soit *bon de trop faire confiance à la technologie.*

▶ Prendre position
Je suis pour / contre l'installation de caméras dans les rues.

▶ Exprimer son accord / son désaccord
Je suis d'accord / Je ne suis pas d'accord avec vous / avec ce que vous dites / avec ça.
Je suis en accord / Je suis en désaccord avec vous.
Je partage / Je ne partage pas ton avis / opinion.

Pour nuancer ces expressions, on peut employer **pas du tout**, **absolument**, **totalement**, **tout à fait**.

▶ Montrer une totale adhésion à une opinion :
Je suis tout à fait / absolument d'accord avec ce que tu dis.

▶ Montrer un rejet total à une opinion :
Je ne partage absolument pas / pas du tout ce point de vue.

▶ Pour exprimer son désaccord plus poliment :
Je ne suis pas vraiment / tout à fait de votre avis.

On peut aussi exprimer son désaccord plus poliment en reprenant d'abord les arguments de l'interlocuteur pour ensuite les nuancer ou les rejeter.

> *C'est vrai, mais...*
> *Il est vrai que..., mais...*
> *Certes, ... mais...*

> **Certes, / Il est vrai / C'est vrai que** *les nouvelles technologies nous facilitent la vie,* **mais** *elles sont trop envahissantes !*

On peut renforcer une opinion ou une prise de position en ajoutant **personnellement** ou le pronom personnel **moi** en tête de phrase (à l'oral, on peut combiner les deux même si cette combinaison est critiquée).

> **Personnellement / Moi**, *je pense que la technologie devient envahissante.*

LES EXPRESSIONS QUI ORGANISENT LE DÉBAT

On sait que *le tabac est mauvais pour la santé.*	On présente un fait que l'on considère admis par tout le monde.
En tant que *médecin, je dois dire que...*	On situe un point de vue depuis un domaine de connaissance ou d'expérience.
Par rapport à *l'interdiction de fumer dans les restaurants, je pense que...*	On signale le sujet ou le domaine dont on veut parler.
D'une part, *les jeunes ne sont pas assez informés sur les risques du tabac,* **d'autre part**...	On présente deux aspects d'un sujet, d'un fait ou d'un problème.
Interdire n'est pas la bonne solution. **D'ailleurs,** *l'histoire l'a très souvent démontré.*	On justifie, développe ou renforce l'argument ou le point de vue qui précèdent.
Une meilleure communication intergénérations serait souhaitable, **c'est-à-dire que** *les parents parlent avec leurs enfants.*	On introduit ou développe une explication.
Augmenter le prix du tabac pour réduire la consommation ne sert à rien. **En effet,** *les ventes continuent d'augmenter régulièrement.*	On confirme et renforce l'idée qui vient d'être présentée. Dans un dialogue, son usage est aussi une marque d'accord avec l'idée énoncée par l'interlocuteur.
Les gens continueront à fumer **même si** *le prix du tabac augmente beaucoup.*	On introduit une probabilité que l'on rejette.
Fumer est dangereux, **car** *des particules de goudron se fixent dans les poumons et...*	On introduit une cause que l'on suppose inconnue de l'interlocuteur.
Le tabac est en vente dans des distributeurs automatiques, **par conséquent,** *il est très facile pour un mineur d'en acheter.*	On introduit la conséquence logique de quelque chose.
La cigarette est mauvaise pour la santé, **par contre,** *un bon cigare de temps en temps ne fait pas de mal.*	On introduit une idée ou un fait qui contraste avec ce qu'on a dit précédemment.

LE PRÉSENT DU SUBJONCTIF

Formation

▶ La formation des verbes réguliers

Les trois personnes du singulier et la troisième personne du pluriel du présent du subjonctif se forment sur le radical de la troisième personne du pluriel du présent de l'indicatif.

DEVOIR	
PRÉSENT DE L'INDICATIF	SUBJONCTIF
ils doiv-ent	*que je doiv-e* *que tu doiv-es* *qu'il/elle/on doiv-e* *qu' ils/elles doiv-ent*

Les première et deuxième personnes du pluriel sont identiques à celles de l'imparfait.

DEVOIR	
IMPARFAIT	SUBJONCTIF
nous devions *vous deviez*	*que nous devions* *que vous deviez*

▶ La formation des verbes irréguliers
Les verbes **être**, **avoir**, **aller**, **savoir**, **pouvoir**, **valoir**, **vouloir** et **falloir** sont irréguliers.

Emploi

L'emploi du présent du subjonctif annonce qu'un processus est :

▶ nécessaire, souhaitable, possible. Dans ce cas, il est introduit par certains verbes (**falloir**, **vouloir**, **souhaiter**...) ou certaines locutions (**pour que**, **afin que**).

   Pour que tu aies *une réduction,* ***il faut que tu réunisses*** *au moins 10 points.*

▶ incertain, douteux, probable ou peu probable. Certains verbes ou formes verbales qui expriment l'incertitude, le doute, l'improbabilité (**ne pas être sûr que**, **douter**, **ne pas penser que**, **ne pas croire que**, **être probable que**, **être peu probable que**...).

   Je ne suis pas sûr qu'il puisse *venir à la fête.*
   Il est probable que nous venions *avec les enfants.*

> **Attention !** Si le sujet de la principale est le même que celui de la subordonnée, on n'emploiera pas le subjonctif mais l'infinitif :
>
>   ***Je ne suis pas sûr de pouvoir*** *venir à la fête.*

LE PRONOM RELATIF **DONT**

Dont est un pronom relatif qui remplace un groupe de mots introduit par la préposition **de / d'**.

▶ Il peut être complément du nom.

*Je connais un garçon **dont** le père est animateur à la télé.*
    (= Le père de ce garçon est animateur.)

S'il est complément du nom, **dont** est toujours suivi des articles définis **le**, **la** ou **les**.

● *Mais de qui tu parles ?*
○ *De la fille **dont les** parents ont un restaurant sur les Champs-Élysées.*

▶ Il peut être complément prépositionnel d'un verbe accompagné de la préposition **de**.

*C'est une chose **dont** on parle souvent.* (= On parle de la télévision.)

● *Et si on allait au Japon cet été ?*
○ *Fantastique ! C'est un voyage **dont** je rêve depuis des années.* (= Je rêve de faire un voyage au Japon.)

5 PORTRAITS CROISÉS

LES PRONOMS COD ET COI

Les pronoms COD (complément d'objet direct)

Un pronom COD remplace un nom ou un groupe nominal qui a déjà été mentionné ou qui est identifiable grâce au contexte. Il contribue à alléger le discours car il permet d'éviter des répétitions lourdes et inutiles.

Le COD et le pronom COD représentent l'objet, l'animal, la personne, l'idée ou le concept sur lesquels porte l'action du verbe.

- ● *Est-ce que tu regardes souvent la télé ?*
- ○ *Non, je **la** regarde un peu le soir, mais je préfère aller sur Internet.*

Attention ! Pour reconnaître un COD, on doit s'assurer qu'aucune préposition ne le relie au verbe dont il dépend.

Il (ne)	me/m'		
	te/t'		
	le/l'	*regarde (pas).*	
	la/l'	*écoute (pas).*	
	nous	*comprend (pas).*	
	vous	*aide (pas).*	
	les	*aime (pas).*	

À l'impératif affirmatif, les pronoms COD se placent juste après le verbe suivi d'un tiret.

	-*moi !*
	-*toi !*
Regarde(z)	-*le !*
Lève(z)	-*la !*
Aide(z)	-*nous !*
	-*vous !*
	-*les !*

Les pronoms COI (complément d'objet indirect)

Un pronom COI remplace un nom ou un groupe nominal qui a déjà été mentionné ou qui est identifiable grâce au contexte. Il contribue à alléger le discours car il permet d'éviter des répétitions lourdes et inutiles.

Le COI et le pronom COI représentent l'objet, l'animal, la personne, l'idée ou le concept destinataires de l'action réalisée par le sujet.

- *Tu as téléphoné à Pierre ?*
- *Non, je vais **lui** téléphoner après manger.*

> **Attention !** Pour reconnaître un COI, on doit s'assurer que la préposition **à** le relie au verbe dont il dépend et qu'elle n'introduit pas un lieu.

Il (ne)	me/m'	téléphone (pas). offre (pas). dit (pas). explique (pas). parle (pas).
	te/t'	
	lui	
	nous	
	vous	
	leur	

À l'impératif affirmatif, les pronoms COD se placent juste après le verbe suivi d'un tiret.

Parle(z) Donne(z)	-moi !
	-toi !
	-lui !
	-nous !
	-vous !
	-leur !

À l'oral, on utilise souvent les pronoms COD et COI avant même d'avoir mentionné l'élément auquel ils se réfèrent.

*Alors, tu **les** as faits tes devoirs ?*
*Qu'est-ce que tu **lui** as acheté à maman pour son anniversaire ?*

Avec certains verbes, les pronoms qui représentent une personne sont toujours à la forme tonique : **moi, toi, lui, elle, nous, vous, eux, elles**.

- *Tes parents te manquent beaucoup ?*
- *Oui, je pense souvent à **eux**.*

- *J'ai rencontré Élisabeth au supermarché.*
- *Ah justement, je pensais à **elle** ce matin.*

- *Je vais faire une course, tu veux bien t'occuper de ton petit frère ?*
- *D'accord, je m'occupe de **lui**.*

LES DOUBLES PRONOMS

On peut parfois combiner les pronoms COD et COI entre eux.

Si on combine un pronom COD et un pronom COI de troisième personne, l'ordre de cette combinaison doit être le suivant : COD + COI.

> *Donne-**le lui** !*
> *Donne-**la leur** !*

> *Ne **le lui** donne pas !*
> *Je **la leur** donne.*
> *Je ne peux pas **la lui** donner.*

Si on combine un pronom COD et un pronom COI à une autre personne que la troisième, l'ordre de cette combinaison doit être le suivant : COI + COD.

> *Ne **me le** donne pas !*
> *Ne **nous les** donne pas !*
> *Je peux **vous la** donner.*

Attention ! Dans ce cas, à l'impératif, l'ordre des pronoms doit être COD + COI :

> *Donne-**le moi** !*
> *Donne-**les nous** !*

Aux temps composés, les pronoms se placent avant l'auxiliaire.

> *J'ai donné la montre à Pierre.*
> *Je **l'**ai donnée à Pierre.*
> *Je **lui** ai donné la montre.*
> *Je **la lui** ai donnée.*

> *J'avais donné la montre à Pierre.*
> *Je **l'**avais donnée à Pierre.*
> *Je **lui** avais donné la montre.*
> *Je **la lui** avais donnée.*

Attention ! Le participe passé s'accorde avec le pronom COD placé avant.

> *La vérité, je **la lui** ai dit**e**.*

L'EXPRESSION DE L'HYPOTHÈSE

Si permet d'introduire une hypothèse.

▶ **Si** + présent / futur.

- *Si l'un de vous tombe malade ?*
- *Si l'un de nous tombe malade, l'autre le soignera.*

▶ **Si** + imparfait / conditionnel présent.

- *Si vous gagniez beaucoup d'argent à la loterie, qu'est-ce que vous feriez ?*
- *Je ferais le tour du monde.*

Les participes passés figurent entre parenthèses à côté de l'infinitif.
L'astérisque * à côté de l'infinitif indique que ce verbe se conjugue avec l'auxiliaire **être**.

VERBES AUXILIAIRES

AVOIR (eu)

• **Avoir** *indique la possession. C'est aussi le principal verbe auxiliaire aux temps composés : j'ai parlé, j'ai été, j'ai fait...*

INDICATIF					SUBJONCTIF	CONDITIONNEL	
présent	**passé composé**	**imparfait**	**plus-que-parfait**	**futur simple**	**présent**	**présent**	**passé**
j'ai	j'ai eu	j'avais	j'avais eu	j'aurai	que j'aie	j'aurais	j'aurais eu
tu as	tu as eu	tu avais	tu avais eu	tu auras	que tu aies	tu aurais	tu aurais eu
il/elle/on a	il/elle/on a eu	il/elle/on avait	il/elle/on avait eu	il/elle/on aura	qu'il/elle/on ait	il/elle/on aurait	il/elle/on aurait eu
nous avons	nous avons eu	nous avions	nous avions eu	nous aurons	que nous ayons	nous aurions	nous aurions eu
vous avez	vous avez eu	vous aviez	vous aviez eu	vous aurez	que vous ayez	vous auriez	vous auriez eu
ils/elles ont	ils/elles ont eu	ils/elles avaient	ils/elles avaient eu	ils/elles auront	qu'ils/elles aient	ils/elles auraient	ils/elles auraient eu

ÊTRE (été)

• **Être** *est aussi le verbe auxiliaire aux temps composés de tous les verbes pronominaux : se lever, se taire, etc. et de certains autres verbes : venir, arriver, partir, etc.*

INDICATIF					SUBJONCTIF	CONDITIONNEL	
présent	**passé composé**	**imparfait**	**plus-que-parfait**	**futur simple**	**présent**	**présent**	**passé**
je suis	j'ai été	j'étais	j'avais été	je serai	que je sois	je serais	j'aurais été
tu es	tu as été	tu étais	tu avais été	tu seras	que tu sois	tu serais	tu aurais été
il/elle/on est	il/elle/on a été	il/elle/on était	il/elle/on avait été	il/elle/on sera	qu'il/elle/on soit	il/elle/on serait	il/elle/on aurait été
nous sommes	nous avons été	nous étions	nous avions été	nous serons	que nous soyons	nous serions	nous aurions été
vous êtes	vous avez été	vous étiez	vous aviez été	vous serez	que vous soyez	vous seriez	vous auriez été
ils/elles sont	ils/elles ont été	ils/elles étaient	ils/elles avaient été	ils/elles seront	qu'ils/elles soient	ils/elles seraient	ils/elles auraient été

VERBES SEMI-AUXILIAIRES

ALLER* (allé)

• *Dans sa fonction de semi-auxiliaire,* **aller** + *infinitif permet d'exprimer un futur proche.*

INDICATIF					SUBJONCTIF	CONDITIONNEL	
présent	**passé composé**	**imparfait**	**plus-que-parfait**	**futur simple**	**présent**	**présent**	**passé**
je vais	je suis allé(e)	j'allais	j'étais allé(e)	j'irai	que j'aille	j'irais	je serais allé(e)
tu vas	tu es allé(e)	tu allais	tu étais allé(e)	tu iras	que tu ailles	tu irais	tu serais allé(e)
il/elle/on va	il/elle/on est allé(e)	il/elle/on allait	il/elle/on était allé(e)	il/elle/on ira	qu'il/elle/on aille	il/elle/on irait	il/elle/on serait allé(e)
nous allons	nous sommes allé(e)s	nous allions	nous étions allé(e)s	nous irons	que nous allions	nous irions	nous serions allé(e)s
vous allez	vous êtes allé(e)(s)	vous alliez	vous étiez allé(e)(s)	vous irez	que vous alliez	vous iriez	vous seriez allé(e)(s)
ils/elles vont	ils/elles sont allé(e)s	ils/elles allaient	ils/elles étaient allé(e)s	ils/elles iront	qu'ils/elles aillent	ils/elles iraient	ils/elles seraient allé(e)s

VENIR* (venu)

• *Dans sa fonction de semi-auxiliaire,* **venir de** + *infinitif permet d'exprimer un passé récent.*

INDICATIF					SUBJONCTIF	CONDITIONNEL	
présent	**passé composé**	**imparfait**	**plus-que-parfait**	**futur simple**	**présent**	**présent**	**passé**
je viens	je suis venu(e)	je venais	j'étais venu(e)	je viendrai	que je vienne	je viendrais	je serais venu(e)
tu viens	tu es venu(e)	tu venais	tu étais venu(e)	tu viendras	que tu viennes	tu viendrais	tu serais venu(e)
il/elle/on vient	il/elle/on est venu(e)	il/elle/on venait	il/elle/on était venu(e)	il/elle/on viendra	qu'il/elle/on vienne	il/elle/on viendrait	il/elle/on serait venu(e)
nous venons	nous sommes venu(e)s	nous venions	nous étions venu(e)s	nous viendrons	que nous venions	nous viendrions	nous serions venu(e)s
vous venez	vous êtes venu(e)(s)	vous veniez	vous étiez venu(e)(s)	vous viendrez	que vous veniez	vous viendriez	vous seriez venu(e)(s)
ils/elles viennent	ils/elles sont venu(e)s	ils/elles venaient	ils/elles étaient venu(e)s	ils/elles viendront	qu'ils/elles viennent	ils/elles viendraient	ils/elles seraient venu(e)s

VERBES RÉFLEXIFS (OU PRONOMINAUX)

S'APPELER* (appelé)

• *La plupart des verbes en **-eler** doublent leur **l** aux mêmes personnes et aux mêmes temps que le verbe **s'appeler**.*

INDICATIF					SUBJONCTIF	CONDITIONNEL	
présent	passé composé	imparfait	plus-que-parfait	futur simple	présent	présent	passé
je m'appelle	je me suis appelé(e)	je m'appelais	je m'étais appelé(e)	je m'appellerai	que je m'appelle	je m'appellerais	je me serais appelé(e)
tu t'appelles	tu t'es appelé(e)	tu t'appelais	tu t'étais appelé(e)	tu t'appelleras	que tu t'appelles	tu t'appellerais	tu te serais appelé(e)
il/elle/on s'appelle	il/elle/on s'est appelé(e)	il/elle/on s'appelait	il/elle/on s'était appelé(e)	il/elle/on s'appellera	qu'il/elle/on s'appelle	il/elle/on s'appellerait	il/elle/on se serait appelé(e)
nous nous appelons	nous nous sommes appelé(e)s	nous nous appelions	nous nous étions appelé(e)s	nous nous appellerons	que nous nous appelions	nous nous appellerions	nous nous serions appelé(e)s
vous vous appelez	vous vous êtes appelé(e)(s)	vous vous appeliez	vous vous étiez appelé(e)(s)	vous vous appellerez	que vous vous appeliez	vous vous appelleriez	vous vous seriez appelé(e)(s)
ils/elles s'appellent	ils/elles se sont appelé(e)s	ils/elles s'appelaient	ils/elles s'étaient appelé(e)s	ils/elles s'appelleront	qu'ils/elles s'appellent	ils/elles s'appelleraient	ils/elles se seraient appelé(e)s

SE LEVER* (levé)

INDICATIF					SUBJONCTIF	CONDITIONNEL	
présent	passé composé	imparfait	plus-que-parfait	futur simple	présent	présent	passé
je me lève	je me suis levé(e)	je me levais	je m'étais levé(e)	je me lèverai	que je me lève	je me lèverais	je me serais levé(e)
tu te lèves	tu t'es levé(e)	tu te levais	tu t'étais levé(e)	tu te lèveras	que tu te lèves	tu te lèverais	tu te serais levé(e)
il/elle/on se lève	il/elle/on s'est levé(e)	il/elle/on se levait	il/elle/on s'était levé(e)	il/elle/on se lèvera	qu'il/elle/on se lève	il/elle/on se lèverait	il/elle/on se serait levé(e)
nous nous levons	nous nous sommes levé(e)s	nous nous levions	nous nous étions levé(e)s	nous nous lèverons	que nous nous levions	nous nous lèverions	nous nous serions levé(e)s
vous vous levez	vous vous êtes levé(e)(s)	vous vous leviez	vous vous étiez levé(e)(s)	vous vous lèverez	que vous vous leviez	vous vous lèveriez	vous vous seriez levé(e)(s)
ils/elles se lèvent	ils/elles se sont levé(e)s	ils/elles se levaient	ils/elles s'étaient levé(e)s	ils/elles se lèveront	qu'ils/elles se lèvent	ils/elles se lèveraient	ils/elles se seraient levé(e)s

VERBES IMPERSONNELS

Ces verbes ne se conjuguent qu'à la troisième personne du singulier avec le pronom sujet **il**.

FALLOIR (fallu)

INDICATIF					SUBJONCTIF	CONDITIONNEL	
présent	passé composé	imparfait	plus-que-parfait	futur simple	présent	présent	passé
il faut	il a fallu	il fallait	il avait fallu	il faudra	qu'il faille	il faudrait	il aurait fallu

PLEUVOIR (plu)

• *La plupart des verbes qui se réfèrent aux phénomènes météorologiques sont impersonnels : il neige, il pleut...*

INDICATIF					SUBJONCTIF	CONDITIONNEL	
présent	passé composé	imparfait	plus-que-parfait	futur simple	présent	présent	passé
il pleut	il a plu	il pleuvait	il avait plu	il pleuvra	qu'il pleuve	il pleuvrait	il aurait plu

VERBES EN -ER (1er GROUPE)

PARLER (parlé)

• *Les trois personnes du singulier et la 3e personne du pluriel se prononcent [parl] au présent de l'indicatif.*

INDICATIF					SUBJONCTIF	CONDITIONNEL	
présent	passé composé	imparfait	plus-que-parfait	futur simple	présent	présent	passé
je parle	j'ai parlé	je parlais	j'avais parlé	je parlerai	que je parle	je parlerais	j'aurais parlé
tu parles	tu as parlé	tu parlais	tu avais parlé	tu parleras	que tu parles	tu parlerais	tu aurais parlé
il/elle/on parle	il/elle/on a parlé	il/elle/on parlait	il/elle/on avait parlé	il/elle/on parlera	qu'il/elle/on parle	il/elle/on parlerait	il/elle/on aurait parlé
nous parlons	nous avons parlé	nous parlions	nous avions parlé	nous parlerons	que nous parlions	nous parlerions	nous aurions parlé
vous parlez	vous avez parlé	vous parliez	vous aviez parlé	vous parlerez	que vous parliez	vous parleriez	vous auriez parlé
ils/elles parlent	ils/elles ont parlé	ils/elles parlaient	ils/elles avaient parlé	ils/elles parleront	qu'ils/elles parlent	ils/elles parleraient	ils/elles auraient parlé

Formes particulières de certains verbes en -er

ACHETER (acheté)

• *Les trois personnes du singulier et la 3e personne du pluriel portent un accent grave sur le è et se prononcent [ɛ] au présent de l'indicatif. La 1re et la 2e du pluriel sont sans accent et se prononcent [ə].*

INDICATIF					SUBJONCTIF	CONDITIONNEL	
présent	passé composé	imparfait	plus-que-parfait	futur simple	présent	présent	passé
j'achète	j'ai acheté	j'achetais	j'avais acheté	j'achèterai	que je achète	j'achèterais	j'aurais acheté
tu achètes	tu as acheté	tu achetais	tu avais acheté	tu achèteras	que tu achètes	tu achèterais	tu aurais acheté
il/elle/on achète	il/elle/on a acheté	il/elle/on achetait	il/elle/on avait acheté	il/elle/on achètera	qu'il/elle/on achète	il/elle/on achèterait	ill/elle/on aurait acheté
nous achetons	nous avons acheté	nous achetions	nous avions acheté	nous achèterons	que nous achetions	nous achèterions	nous aurions acheté
vous achetez	vous avez acheté	vous achetiez	vous aviez acheté	vous achèterez	que vous achetiez	vous achèteriez	vous auriez acheté
ils/elles achètent	ils/elles ont acheté	ils/elles achetaient	ils/elles avaient acheté	ils/elles achèteront	qu'ils/elles achètent	ils/elles achèteraient	ils/elles auraient acheté

APPELER (appelé)

INDICATIF					SUBJONCTIF	CONDITIONNEL	
présent	passé composé	imparfait	plus-que-parfait	futur simple	présent	présent	passé
j'appelle	j'ai appelé	j'appelais	j'avais appelé	j'appellerai	que j'appelle	j'appellerais	j'aurais appelé
tu appelles	tu as appelé	tu appelais	tu avais appelé	tu appelleras	que tu appelles	tu appellerais	tu aurais appelé
il/elle/on appelle	il/elle/on a appelé	il/elle/on appelait	il/elle/on avait appelé	il/elle/on appellera	qu'il/elle/on appelle	il/elle/on appellerait	il/elle/on aurait appelé
nous appelons	nous avons appelé	nous appelions	nous avions appelé	nous appellerons	que nous appelions	nous appellerions	nous aurions appelé
vous appelez	vous avez appelé	vous appeliez	vous aviez appelé	vous appellerez	que vous appeliez	vous appelleriez	vous auriez appelé
ils/elles appellent	ils/elles ont appelé	ils/elles appelaient	ils/elles avaient appelé	ils/elles appelleront	qu'ils/elles appellent	ils/elles appelleraient	ils/elles auraient appelé

AVANCER (avancé)

INDICATIF					SUBJONCTIF	CONDITIONNEL	
présent	passé composé	imparfait	plus-que-parfait	futur simple	présent	présent	passé
j'avance	j'ai avancé	j'avançais	j'avais avancé	j'avancerai	que j'avance	j'avancerais	j'aurais avancé
tu avances	tu as avancé	tu avançais	tu avais avancé	tu avanceras	que tu avances	tu avancerais	tu aurais avancé
il/elle/on avance	il/elle/on a avancé	il/elle/on avançait	il/elle/on avait avancé	il/elle/on avancera	qu'il/elle/on avance	il/elle/on avancerait	il/elle/on aurait avancé
nous avançons	nous avons avancé	nous avancions	nous avions avancé	nous avancerons	que nous avancions	nous avancerions	nous aurions avancé
vous avancez	vous avez avancé	vous avanciez	vous aviez avancé	vous avancerez	que vous avanciez	vous avanceriez	vous auriez avancé
ils/elles avancent	ils/elles ont avancé	ils/elles avançaient	ils/elles avaient avancé	ils/elles avanceront	qu'ils/elles avancent	ils/elles avanceraient	ils/elles auraient avancé

COMMENCER (commencé)

• *Le **c** de tous les verbes en **-cer** devient **ç** devant **a** et **o** pour maintenir la prononciation* [s].

INDICATIF					SUBJONCTIF	CONDITIONNEL	
présent	passé composé	imparfait	plus-que-parfait	futur simple	présent	présent	passé
je commence tu commences il/elle/on commence nous commençons vous commencez ils/elles commencent	j'ai commencé tu as commencé il/elle/on a commencé nous avons commencé vous avez commencé ils/elles ont commencé	je commençais tu commençais il/elle/on commençait nous commencions vous commenciez ils/elles commençaient	j'avais commencé tu avais commencé il/elle/on avait commencé nous avions commencé vous aviez commencé ils/elles avaient commencé	je commencerai tu commenceras il/elle/on commencera nous commencerons vous commencerez ils/elles commenceront	que je commence que tu commences qu'il/elle/on commence que nous commencions que vous commenciez qu'ils/elles commencent	je commencerais tu commencerais il/elle/on commencerait nous commencerions vous commenceriez ils/elles commenceraient	j'aurais commencé tu aurais commencé il/elle/on aurait commencé nous aurions commencé vous auriez commencé ils/elles auraient commencé

EMMENER (emmené)

INDICATIF					SUBJONCTIF	CONDITIONNEL	
présent	passé composé	imparfait	plus-que-parfait	futur simple	présent	présent	passé
j'emmène tu emmènes il/elle/on emmène nous emmenons vous emmenez ils/elles emmènent	j'ai emmené tu as emmené il/elle/on a emmené nous avons emmené vous avez emmené ils/elles ont emmené	j'emmenais tu emmenais il/elle/on emmenait nous emmenions vous emmeniez ils/elles emmenaient	j'avais emmené tu avais emmené il avait emmené nous avions emmené vous aviez emmené ils/elles avaient emmené	j'emmènerai tu emmèneras il/elle/on emmènera nous emmènerons vous emmènerez ils/elles emmèneront	que j'emmène que tu emmènes qu'il/elle/on emmène que nous emmenions que vous emmeniez qu'ils/elles emmènent	j'emmènerais tu emmènerais il/elle/on emmènerait nous emmènerions vous emmèneriez ils/elles emmèneraient	j'aurais emmené tu aurais emmené il/elle/on aurait emmené nous aurions emmené tvous auriez emmené ils/elles auraient emmené

EMPLOYER (employé)

INDICATIF					SUBJONCTIF	CONDITIONNEL	
présent	passé composé	imparfait	plus-que-parfait	futur simple	présent	présent	passé
j'emploie tu emploies il/elle/on emploie nous employons vous employez ils/elles emploient	j'ai employé tu as employé il/elle/on a employé nous avons employé vous avez employé ils/elles ont employé	j'employais tu employais il/elle/on employait nous employions vous employiez ils/elles employaient	j'avais employé tu avais employé il/elle/on avait employé nous avions employé vous aviez employé ils/elles avaient employé	j'emploierai tu emploieras il/elle/on emploiera nous emploierons vous emploierez ils/elles emploieront	que j'emploie que tu emploies qu'il/elle/on emploie que nous employions que vous employiez qu'ils/elles emploient	j'emploierais tu emploierais il/elle/on emploierait nous emploierions vous emploieriez ils/elles emploieraient	j'aurais employé tu aurais employé il/elle/on aurait employé nous aurions employé vous auriez employé ils/elles auraient employé

ENVOYER (envoyé)

INDICATIF					SUBJONCTIF	CONDITIONNEL	
présent	passé composé	imparfait	plus-que-parfait	futur simple	présent	présent	passé
j'envoie tu envoies il/elle/on envoie nous envoyons vous envoyez ils/elles envoient	j'ai envoyé tu as envoyé il/elle/on a envoyé nous avons envoyé vous avez envoyé ils/elles ont envoyé	j'envoyais tu envoyais il/elle/on envoyait nous envoyions vous envoyiez ils/elles envoyaient	j'avais envoyé tu avais envoyé il/elle/on avait envoyé nous avions envoyé vous aviez envoyé ils/elles avaient envoyé	j'enverrai tu enverras il/elle/on enverra nous enverrons vous enverrez ils/elles enverront	que j'envoie que tu envoies qu'il/elle/on envoie que nous envoyions que vous envoyiez qu'ils/elles envoient	j'enverrais tu enverrais il/elle/on enverrait nous enverrions vous enverriez ils/elles enverraient	j'aurais envoyé tu aurais envoyé il/elle/on aurait envoyé nous aurions envoyé vous auriez envoyé ils/elles auraient envoyé

ÉPELER (épelé)

INDICATIF					SUBJONCTIF	CONDITIONNEL	
présent	passé composé	imparfait	plus-que-parfait	futur simple	présent	présent	passé
j'épelle	j'ai épelé	j'épelais	j'avais épelé	j'épellerai	que j'épelle	j'épellerais	j'aurais épelé
tu épelles	tu as épelé	tu épelais	tu avais épelé	tu épelleras	que tu épelles	tu épellerais	tu aurais épelé
il/elle/on épelle	il/elle/on a épelé	il/elle/on épelait	il/elle/on avait épelé	il/elle/on épellera	qu'il/elle/on épelle	il/elle/on épellerait	il/elle/on aurait épelé
nous épelons	nous avons épelé	nous épelions	nous avions épelé	nous épellerons	que nous épelions	nous épellerions	nous aurions épelé
vous épelez	vous avez épelé	vous épeliez	vous aviez épelé	vous épellerez	que vous épeliez	vous épelleriez	vous auriez épelé
ils/elles épellent	ils/elles ont épelé	ils/elles épelaient	ils/elles avaient épelé	ils/elles épelleront	qu'ils/elles épellent	ils/elles épelleraient	ils/elles auraient épelé

ESSAYER (essayé)

INDICATIF					SUBJONCTIF	CONDITIONNEL	
présent	passé composé	imparfait	plus-que-parfait	futur simple	présent	présent	passé
j'essaie / essaye	j'ai essayé	j'essayais	j'avais essayé	j'essaierai / essayerai	que j'essaie / essaye	j'essaierais / essayerais	j'aurais essayé
tu essaies / essayes	tu as essayé	tu essayais	tu avais essayé	tu essaieras / essayeras	que tu essaies / essayes	tu essaierais / essayerais	tu aurais essayé
il/elle/on essaie / essaye	il/elle/on a essayé	il/elle/on essayait	il/elle/on avait essayé	il/elle/on essaiera / essayera	qu'il/elle/on essaie / essaye	il/elle/on essaierait / essayerait	il/elle/on aurait essayé
nous essayons	nous avons essayé	nous essayions	nous avions essayé	nous essaierons / essayerons	que nous essayions	nous essaierions / essayerions	nous aurions essayé
vous essayez	vous avez essayé	vous essayiez	vous aviez essayé	vous essaierez / essayerez	que vous essayiez	vous essaieriez / essayeriez	vous auriez essayé
ils/elles essaient / essayent	ils/elles ont essayé	ils/elles essayaient	ils/elles avaient essayé	ils/elles essaieront / essayeront	qu'ils/elles essaient / essayent	ils/elles essaieraient / essayeraient	ils/elles auraient essayé

GÉRER (géré)

INDICATIF					SUBJONCTIF	CONDITIONNEL	
présent	passé composé	imparfait	plus-que-parfait	futur simple	présent	présent	passé
je gère	j'ai géré	je gérais	j'avais géré	je gérerai	que je gère	je gérerais	j'aurais géré
tu gères	tu as géré	tu gérais	tu avais géré	tu géreras	que tu gères	tu gérerais	tu aurais géré
il/elle/on gère	il/elle/on a géré	il/elle/on gérait	il/elle/on avait géré	il/elle/on gérera	qu'il/elle/on gère	il/elle/on gérerait	il/elle/on aurait géré
nous gérons	nous avons géré	nous gérions	nous avions géré	nous gérerons	que nous gérions	nous gérerions	nous aurions géré
vous gérez	vous avez géré	vous gériez	vous aviez géré	vous gérerez	que vous gériez	vous géreriez	vous auriez géré
ils/elles gèrent	ils/elles ont géré	ils/elles géraient	ils/elles avaient géré	ils/elles géreront	qu'ils/elles gèrent	ils/elles géreraient	ils/elles auraient géré

JETER (jeté)

INDICATIF					SUBJONCTIF	CONDITIONNEL	
présent	passé composé	imparfait	plus-que-parfait	futur simple	présent	présent	passé
je jette	j'ai jeté	je jetais	j'avais jeté	je jetterai	que je jette	je jetterais	j'aurais jeté
tu jettes	tu as jeté	tu jetais	tu avais jeté	tu jetteras	que tu jettes	tu jetterais	tu aurais jeté
il/elle/on jette	il/elle/on a jeté	il/elle/on jetait	il/elle/on avait jeté	il/elle/on jettera	qu'il/elle/on jette	il/elle/on jetterait	il/elle/on aurait jeté
nous jetons	nous avons jeté	nous jetions	nous avions jeté	nous jetterons	que nous jetions	nous jetterions	nous aurions jeté
vous jetez	vous avez jeté	vous jetiez	vous aviez jeté	vous jetterez	que vous jetiez	vous jetteriez	vous auriez jeté
ils/elles jettent	ils/elles ont jeté	ils/elles jetaient	ils/elles avaient jeté	ils/elles jetteront	qu'ils/elles jettent	ils/elles jetteraient	ils/elles auraient jeté

MANGER (mangé)

*• Devant **a** et **o**, on place un **e** pour maintenir la prononciation [ʒ] dans tous les verbes en **-ger**.*

INDICATIF					SUBJONCTIF	CONDITIONNEL	
présent	passé composé	imparfait	plus-que-parfait	futur simple	présent	présent	passé
je mange	j'ai mangé	je mangeais	j'avais mangé	je mangerai	que je mange	je mangerais	j'aurais mangé
tu manges	tu as mangé	tu mangeais	tu avais mangé	tu mangeras	que tu manges	tu mangerais	tu aurais mangé
il/elle/on mange	il/elle/on a mangé	il/elle/on mangeait	il/elle/on avait mangé	il/elle/on mangera	qu'il/elle/on mange	il/elle/on mangerait	il/elle/on aurait mangé
nous mangeons	nous avons mangé	nous mangions	nous avions mangé	nous mangerons	que nous mangions	nous mangerions	nous aurions mangé
vous mangez	vous avez mangé	vous mangiez	vous aviez mangé	vous mangerez	que vous mangiez	vous mangeriez	vous auriez mangé
ils/elles mangent	ils/elles ont mangé	ils/elles mangeaient	ils/elles avaient mangé	ils/elles mangeront	qu'ils/elles mangent	ils/elles mangeraient	ils/elles auraient mangé

NETTOYER (nettoyé)

INDICATIF					SUBJONCTIF	CONDITIONNEL	
présent	passé composé	imparfait	plus-que-parfait	futur simple	présent	présent	passé
je nettoie	j'ai nettoyé	je nettoyais	j'avais nettoyé	je nettoierai	que je nettoie	je nettoierais	j'aurais nettoyé
tu nettoies	tu as nettoyé	tu nettoyais	tu avais nettoyé	tu nettoieras	que tu nettoies	tu nettoierais	tu aurais nettoyé
il/elle/on nettoie	il/elle/on a nettoyé	il/elle/on nettoyait	il/elle/on avait nettoyé	il/elle/on nettoiera	qu'il/elle/on nettoie	il/elle/on nettoierait	il/elle/on aurait nettoyé
nous nettoyons	nous avons nettoyé	nous nettoyions	nous avions nettoyé	nous nettoierons	que nous nettoyions	nous nettoierions	nous aurions nettoyé
vous nettoyez	vous avez nettoyé	vous nettoyiez	vous aviez nettoyé	vous nettoierez	que vous nettoyiez	vous nettoieriez	vous auriez nettoyé
ils/elles nettoient	ils/elles ont nettoyé	ils/elles nettoyaient	ils/elles avaient nettoyé	ils/elles nettoieront	qu'ils/elles nettoient	ils/elles nettoieraient	ils/elles auraient nettoyé

PAYER (payé)

INDICATIF					SUBJONCTIF	CONDITIONNEL	
présent	passé composé	imparfait	plus-que-parfait	futur simple	présent	présent	passé
je paie / paye	j'ai payé	je payais	j'avais payé	je paierai / payerai	que je paie / paye	je paierais / payerais	j'aurais payé
tu paies / payes	tu as payé	tu payais	tu avais payé	tu paieras / payeras	que tu paies / payes	tu paierais / payerais	tu aurais payé
il/elle/on paie / paye	il/elle/on a payé	il/elle/on payait	il/elle/on avait payé	il/elle/on paiera / payera	qu'il/elle/on paie / paye	il/elle/on paierait / payerait	il/elle/on aurait payé
nous payons	nous avons payé	nous payions	nous avions payé	nous paierons / payerons	que nous payions	nous paierions / payerions	nous aurions payé
vous payez	vous avez payé	vous payiez	vous aviez payé	vous paierez / payerez	que vous payiez	vous paieriez / payeriez	vous auriez payé
ils/elles paient / payent	ils/elles ont payé	ils/elles payaient	ils/elles avaient payé	ils/elles paieront / payeront	qu'ils/elles paient / payent	ils/elles paieraient / payeraient	ils/elles auraient payé

PRÉFÉRER (préféré)

*• Pour les trois personnes du singulier et la 3ᵉ personne du pluriel, le **e** se prononce [-e-ɛ-] ; la 1ʳᵉ et la 2ᵉ du pluriel [-e-e-] au présent de l'indicatif.*

INDICATIF					SUBJONCTIF	CONDITIONNEL	
présent	passé composé	imparfait	plus-que-parfait	futur simple	présent	présent	passé
je préfère	j'ai préféré	je préférais	j'avais préféré	je préférerai	que je préfère	je préférerais	j'aurais préféré
tu préfères	tu as préféré	tu préférais	tu avais préféré	tu préféreras	que tu préfères	tu préférerais	tu aurais préféré
il/elle/on préfère	il/elle/on a préféré	il/elle/on préférait	il/elle/on avait préféré	il/elle/on préférera	qu'il/elle/on préfère	il/elle/on préférerait	il/elle/on aurait préféré
nous préférons	nous avons préféré	nous préférions	nous avions préféré	nous préférerons	que nous préférions	nous préférerions	nous aurions préféré
vous préférez	vous avez préféré	vous préfériez	vous aviez préféré	vous préférerez	que vous préfériez	vous préféreriez	vous auriez préféré
ils/elles préfèrent	ils/elles ont préféré	ils/elles préféraient	ils/elles avaient préféré	ils/elles préféreront	qu'ils/elles préfèrent	ils/elles préféreraient	ils/elles auraient préféré

AUTRES VERBES (2ᵉ ET 3ᵉ GROUPES)

ATTENDRE (attendu)

• Les verbes **répondre**, **rendre** et **vendre** se conjuguent sur ce modèle.

INDICATIF					SUBJONCTIF	CONDITIONNEL	
présent	passé composé	imparfait	plus-que-parfait	futur simple	présent	présent	passé
j'attends	j'ai attendu	j'attendais	j'avais attendu	j'attendrai	que j'attende	j'attendrais	j'aurais attendu
tu attends	tu as attendu	tu attendais	tu avais attendu	tu attendras	que tu attendes	tu attendrais	tu aurais attendu
il/elle/on attend	il/elle/on a attendu	il/elle/on attendait	il/elle/on avait attendu	il/elle/on attendra	qu'il/elle/on attende	il/elle/on attendrait	il/elle/on aurait attendu
nous attendons	nous avons attendu	nous attendions	nous avions attendu	nous attendrons	que nous attendions	nous attendrions	nous aurions attendu
vous attendez	vous avez attendu	vous attendiez	vous aviez attendu	vous attendrez	que vous attendiez	vous attendriez	vous auriez attendu
ils/elles attendent	ils/elles ont attendu	ils/elles attendaient	ils/elles avaient attendu	ils/elles attendront	qu'ils/elles attendent	ils/elles attendraient	ils/elles auraient attendu

BOIRE (bu)

INDICATIF					SUBJONCTIF	CONDITIONNEL	
présent	passé composé	imparfait	plus-que-parfait	futur simple	présent	présent	passé
je bois	j'ai bu	je buvais	j'avais bu	je boirai	que je boive	je boirais	j'aurais bu
tu bois	tu as bu	tu buvais	tu avais bu	tu boiras	que tu boives	tu boirais	tu aurais bu
il/elle/on boit	il/elle/on a bu	il/elle/on buvait	il/elle/on avait bu	il/elle/on boira	qu'il/elle/on boive	il/elle/on boirait	il/elle/on aurait bu
nous buvons	nous avons bu	nous buvions	nous avions bu	nous boirons	que nous buvions	nous boirions	nous aurions bu
vous buvez	vous avez bu	vous buviez	vous aviez bu	vous boirez	que vous buviez	vous boiriez	vous auriez bu
ils/elles boivent	ils/elles ont bu	ils/elles buvaient	ils/elles avaient bu	ils/elles boiront	qu'ils/elles boivent	ils/elles boiraient	ils/elles auraient bu

CHOISIR (choisi)

• Les verbes **grandir** et **maigrir** se conjuguent sur ce modèle.

INDICATIF					SUBJONCTIF	CONDITIONNEL	
présent	passé composé	imparfait	plus-que-parfait	futur simple	présent	présent	passé
je choisis	j'ai choisi	je choisissais	j'avais choisi	je choisirai	que je choisisse	je choisirais	j'aurais choisi
tu choisis	tu as choisi	tu choisissais	tu avais choisi	tu choisiras	que tu choisisses	tu choisirais	tu aurais choisi
il/elle/on choisit	il/elle/on a choisi	il/elle/on choisissait	il/elle/on avait choisi	il/elle/on choisira	qu'il/elle/on choisisse	il/elle/on choisirait	il/elle/on aurait choisi
nous choisissons	nous avons choisi	nous choisissions	nous avions choisi	nous choisirons	que nous choisissions	nous choisirions	nous aurions choisi
vous choisissez	vous avez choisi	vous choisissiez	vous aviez choisi	vous choisirez	que vous choisissiez	vous choisiriez	vous auriez choisi
ils/elles choisissent	ils/elles ont choisi	ils/elles choisissaient	ils/elles avaient choisi	ils/elles choisiront	qu'ils/elles choisissent	ils/elles choisiraient	ils/elles auraient choisi

CONDUIRE (conduit)

INDICATIF					SUBJONCTIF	CONDITIONNEL	
présent	passé composé	imparfait	plus-que-parfait	futur simple	présent	présent	passé
je conduis	j'ai conduit	je conduisais	j'avais conduit	je conduirai	que je conduise	je conduirais	j'aurais conduit
tu conduis	tu as conduit	tu conduisais	tu avais conduit	tu conduiras	que tu conduises	tu conduirais	tu aurais conduit
il/elle/on conduit	il/elle/on a conduit	il/elle/on conduisait	il/elle/on avait conduit	il/elle/on conduira	qu'il/elle/on conduise	il/elle/on conduirait	il/elle/on aurait conduit
nous conduisons	nous avons conduit	nous conduisions	nous avions conduit	nous conduirons	que nous conduisions	nous conduirions	nous aurions conduit
vous conduisez	vous avez conduit	vous conduisiez	vous aviez conduit	vous conduirez	que vous conduisiez	vous conduiriez	vous auriez conduit
ils/elles conduisent	ils/elles ont conduit	ils/elles conduisaient	ils/elles avaient conduit	ils/elles conduiront	qu'ils/elles conduisent	ils/elles conduiraient	ils/elles auraient conduit

CONNAÎTRE (connu)

*• Tous les verbes en **-aître** se conjuguent sur ce modèle.*

INDICATIF					SUBJONCTIF	CONDITIONNEL	
présent	passé composé	imparfait	plus-que-parfait	futur simple	présent	présent	passé
je connais tu connais il/elle/on connaît nous connaissons vous connaissez ils/elles connaissent	j'ai connu tu as connu il/elle/on a connu nous avons connu vous avez connu ils/elles ont connu	je connaissais tu connaissais il/elle/on connaissait nous connaissions vous connaissiez ils/elles connaissaient	j'avais connu tu avais connu il/elle/on avait connu nous avions connu vous aviez connu ils/elles avaient connu	je connaîtrai tu connaîtras il/elle/on connaîtra nous connaîtrons vous connaîtrez ils/elles connaîtront	que je connaisse que tu connaisses qu'il/elle/on connaisse que nous connaissions que vous connaissiez qu'ils/elles connaissent	je connaîtrais tu connaîtrais il/elle/on connaîtrait nous connaîtrions vous connaîtriez ils/elles connaîtraient	j'aurais connu tu aurais connu il/elle/on aurait connu nous aurions connu vous auriez connu ils/elles auraient connu

COURIR (couru)

*• Le futur simple et le conditionnel présent s'écrivent avec deux **r**, celui du radical et celui de la désinence : je courrai.*

INDICATIF					SUBJONCTIF	CONDITIONNEL	
présent	passé composé	imparfait	plus-que-parfait	futur simple	présent	présent	passé
je cours tu cours il/elle/on court nous courons vous courez ils/elles courent	j'ai couru tu as couru il/elle/on a couru nous avons couru vous avez couru ils/elles ont couru	je courais tu courais il/elle/on courait nous courions vous couriez ils/elles couraient	j'avais couru tu avais couru il/elle/on avait couru nous avions couru vous aviez couru ils/elles avaient couru	je courrai tu courras il/elle/on courra nous courrons vous courrez ils/elles courront	que je coure que tu coures qu'il/elle/on coure que nous courions que vous couriez qu'ils/elles courent	je courrais tu courrais il/elle/on courrait nous courrions vous courriez ils/elles courraient	j'aurais couru tu aurais couru il/elle/on aurait couru nous aurions couru vous auriez couru ils/elles auraient couru

CROIRE (cru)

INDICATIF					SUBJONCTIF	CONDITIONNEL	
présent	passé composé	imparfait	plus-que-parfait	futur simple	présent	présent	passé
je crois tu crois il/elle/on croit nous croyons vous croyez ils/elles croient	j'ai cru tu as cru il/elle/on a cru nous avons cru vous avez cru ils/elles ont cru	je croyais tu croyais il/elle/on croyait nous croyions vous croyiez ils/elles croyaient	j'avais cru tu avais cru il/elle/on avait cru nous avions cru vous aviez cru ils/elles avaient cru	je croirai tu croiras il/elle/on croira nous croirons vous croirez ils/elles croiront	que je croie que tu croies qu'il/elle/on croie que nous croyions que vous croyiez qu'ils/elles croient	je croirais tu croirais il/elle/on croirait nous croirions vous croiriez ils/elles croiraient	j'aurais cru tu aurais cru il/elle/on aurait cru nous aurions cru vous auriez cru ils/elles auraient cru

DÉCOUVRIR (découvert)

INDICATIF					SUBJONCTIF	CONDITIONNEL	
présent	passé composé	imparfait	plus-que-parfait	futur simple	présent	présent	passé
je découvre tu découvres il/elle/on découvre nous découvrons vous découvrez ils/elles découvrent	j'ai découvert tu as découvert il/elle/on a découvert nous avons découvert vous avez découvert ils/elles ont découvert	je découvrais tu découvrais il/elle/on découvrait nous découvrions vous découvriez ils/elles découvraient	j'avais découvert tu avais découvert il/elle/on avait découvert nous avions découvert vous aviez découvert ils/elles avaient découvert	je découvrirai tu découvriras il/elle/on découvrira nous découvrirons vous découvrirez ils/elles découvriront	que je découvre que tu découvres qu'il/elle/on découvre que nous découvrions que vous découvriez qu'ils/elles découvrent	je découvrirais tu découvrirais il/elle/on découvrirait nous découvririons vous découvririez ils/elles découvriraient	j'aurais découvert tu aurais découvert il/elle/on aurait découvert nous aurions découvert vous auriez découvert ils/elles auraient découvert

DESCENDRE* (descendu)

• *Attention, il peut aussi s'employer avec l'auxiliaire **avoir** : J'ai descendu la côte.*

INDICATIF					SUBJONCTIF	CONDITIONNEL	
présent	passé composé	imparfait	plus-que-parfait	futur simple	présent	présent	passé
je descends	je suis descendu(e)	je descendais	j'étais descendu(e)	je descendrai	que je descende	je descendrais	je serais descendu(e)
tu descends	tu es descendu(e)	tu descendais	tu étais descendu(e)	tu descendras	que tu descendes	tu descendrais	tu serais descendu(e)
il/elle/on descend	il/elle/on est descendu(e)	il/elle/on descendait	il/elle/on était descendu(e)	il/elle/on descendra	qu'il/elle/on descende	il/elle/on descendrait	il/elle/on serait descendu(e)
nous descendons	nous sommes descendu(e)s	nous descendions	nous étions descendu(e)s	nous descendrons	que nous descendions	nous descendrions	nous serions descendu(e)s
vous descendez	vous êtes descendu(e)(s)	vous descendiez	vous étiez descendu(e)(s)	vous descendrez	que vous descendiez	vous descendriez	vous seriez descendu(e)(s)
ils/elles descendent	ils/elles sont descendu(e)s	ils/elles descendaient	ils/elles étaient descendu(e)s	ils/elles descendront	qu'ils/elles descendent	ils/elles descendraient	ils/elles seraient descendu(e)s

DEVOIR (dû)

INDICATIF					SUBJONCTIF	CONDITIONNEL	
présent	passé composé	imparfait	plus-que-parfait	futur simple	présent	présent	passé
je dois	j'ai dû	je devais	j'avais dû	je devrai	que je doive	je devrais	j'aurais dû
tu dois	tu as dû	tu devais	tu avais dû	tu devras	que tu doives	tu devrais	tu aurais dû
il/elle/on doit	il/elle/on a dû	il/elle/on devait	il/elle/on avait dû	il/elle/on devra	qu'il/elle/on doive	il/elle/on devrait	il/elle/on aurait dû
nous devons	nous avons dû	nous devions	nous avions dû	nous devrons	que nous devions	nous devrions	nous aurions dû
vous devez	vous avez dû	vous deviez	vous aviez dû	vous devrez	que vous deviez	vous devriez	vous auriez dû
ils/elles doivent	ils/elles ont dû	ils/elles devaient	ils/elles avaient dû	ils/elles devront	qu'ils/elles doivent	ils/elles devraient	ils/elles auraient dû

DIRE (dit)

INDICATIF					SUBJONCTIF	CONDITIONNEL	
présent	passé composé	imparfait	plus-que-parfait	futur simple	présent	présent	passé
je dis	j'ai dit	je disais	j'avais dit	je dirai	que je dise	je dirais	j'aurais dit
tu dis	tu as dit	tu disais	tu avais dit	tu diras	que tu dises	tu dirais	tu aurais dit
il/elle/on dit	il/elle/on a dit	il/elle/on disait	il/elle/on avait dit	il/elle/on dira	qu'il/elle/on dise	il/elle/on dirait	il/elle/on aurait dit
nous disons	nous avons dit	nous disions	nous avions dit	nous dirons	que nous disions	nous dirions	nous aurions dit
vous dites	vous avez dit	vous disiez	vous aviez dit	vous direz	que vous disiez	vous diriez	vous auriez dit
ils/elles disent	ils/elles ont dit	ils/elles disaient	ils/elles avaient dit	ils/elles diront	qu'ils/elles disent	ils/elles diraient	ils/elles auraient dit

ÉCRIRE (écrit)

INDICATIF					SUBJONCTIF	CONDITIONNEL	
présent	passé composé	imparfait	plus-que-parfait	futur simple	présent	présent	passé
j'écris	j'ai écrit	j'écrivais	j'avais écrit	j'écrirai	que j'écrive	j'écrirais	j'aurais écrit
tu écris	tu as écrit	tu écrivais	tu avais écrit	tu écriras	que tu écrives	tu écrirais	tu aurais écrit
il/elle/on écrit	il/elle/on a écrit	il/elle/on écrivait	il/elle/on avait écrit	il/elle/on écrira	qu'il/elle/on écrive	il/elle/on écrirait	il/elle/on aurait écrit
nous écrivons	nous avons écrit	nous écrivions	nous avions écrit	nous écrirons	que nous écrivions	nous écririons	nous aurions écrit
vous écrivez	vous avez écrit	vous écriviez	vous aviez écrit	vous écrirez	que vous écriviez	vous écririez	vous auriez écrit
ils/elles écrivent	ils/elles ont écrit	ils/elles écrivaient	ils/elles avaient écrit	ils/elles écriront	qu'ils/elles écrivent	ils/elles écriraient	ils/elles auraient écrit

ENTENDRE (entendu)

INDICATIF					SUBJONCTIF	CONDITIONNEL	
présent	passé composé	imparfait	plus-que-parfait	futur simple	présent	présent	passé
j'entends tu entends il/elle/on entend nous entendons vous entendez ils/elles entendent	j'ai entendu tu as entendu il/elle/on a entendu nous avons entendu vous avez entendu ils/elles ont entendu	j'entendais tu entendais il/elle/on entendait nous entendions vous entendiez ils/elles entendaient	j'avais entendu tu avais entendu il/elle/on avait entendu nous avions entendu vous aviez entendu ils/elles avaient entendu	j'entendrai tu entendras il/elle/on entendra nous entendrons vous entendrez ils/elles entendront	que j'entende que tu entendes qu'il/elle/on entende que nous entendions que vous entendiez qu'ils/elles entendent	j'entendrais tu entendrais il/elle/on entendrait nous entendrions vous entendriez ils/elles entendraient	j'aurais entendu tu aurais entendu il/elle/on aurait entendu nous aurions entendu vous auriez entendu ils/elles auraient entendu

FAIRE (fait)

• *La forme -ai dans nous faisons se prononce* [ɛ].

INDICATIF					SUBJONCTIF	CONDITIONNEL	
présent	passé composé	imparfait	plus-que-parfait	futur simple	présent	présent	passé
je fais tu fais il/elle/on fait nous faisons vous faites ils/elles font	j'ai fait tu as fait il/elle/on a fait nous avons fait vous avez fait ils/elles ont fait	je faisais tu faisais il/elle/on faisait nous faisions vous faisiez ils/elles faisaient	j'avais fait tu avais fait il/elle/on avait fait nous avions fait vous aviez fait ils/elles avaient fait	je ferai tu feras il/elle/on fera nous ferons vous ferez ils/elles feront	que je fasse que tu fasses qu'il/elle/on fasse que nous fassions que vous fassiez qu'ils/elles fassent	je ferais tu ferais il/elle/on ferait nous ferions vous feriez ils/elles feraient	j'aurais fait tu aurais fait il/elle/on aurait fait nous aurions fait vous auriez fait ils/elles auraient fait

FINIR (fini)

INDICATIF					SUBJONCTIF	CONDITIONNEL	
présent	passé composé	imparfait	plus-que-parfait	futur simple	présent	présent	passé
je finis tu finis il/elle/on finit nous finissons vous finissez ils/elles finissent	j'ai fini tu as fini il/elle/on a fini nous avons fini vous avez fini ils/elles ont fini	je finissais tu finissais il/elle/on finissait nous finissions vous finissiez ils/elles finissaient	j'avais fini tu avais fini il/elle/on avait fini nous avions fini vous aviez fini ils/elles avaient fini	je finirai tu finiras il/elle/on finira nous finirons vous finirez ils/elles finiront	que je finisse que tu finisses qu'il/elle/on finisse que nous finissions que vous finissiez qu'ils/elles finissent	je finirais tu finirais il/elle/on finirait nous finirions vous finiriez ils/elles finiraient	j'aurais fini tu aurais fini il/elle/on aurait fini nous aurions fini vous auriez fini ils/elles auraient fini

INTRODUIRE (introduit)

INDICATIF					SUBJONCTIF	CONDITIONNEL	
présent	passé composé	imparfait	plus-que-parfait	futur simple	présent	présent	passé
j'introduis tu introduis il/elle/on introduit nous introduisons vous introduisez ils/elles introduisent	j'ai introduit tu as introduit il/elle/on a introduit nous avons introduit vous avez introduit ils/elles ont introduit	j'introduisais tu introduisais il/elle/on introduisait nous introduisions vous introduisiez ils/elles introduisaient	j'avais introduit tu avais introduit il/elle/on avait introduit nous avions introduit vous aviez introduit ils/elles avaient introduit	j'introduirai tu introduiras il/elle/on introduira nous introduirons vous introduirez ils/elles introduiront	que j'introduise que tu introduises qu'il/elle/on introduise que nous introduisions que vous introduisiez qu'ils/elles introduisent	j'introduirais tu introduirais il/elle/on introduirait nous introduirions vous introduiriez ils/elles introduiraient	j'aurais introduit tu aurais introduit il/elle/on aurait introduit nous aurions introduit vous auriez introduit ils/elles auraient introduit

LIRE (lu)

INDICATIF					SUBJONCTIF	CONDITIONNEL	
présent	passé composé	imparfait	plus-que-parfait	futur simple	présent	présent	passé
je lis	j'ai lu	je lisais	j'avais lu	je lirai	que je lise	je lirais	j'aurais lu
tu lis	tu as lu	tu lisais	tu avais lu	tu liras	que tu lises	tu lirais	tu aurais lu
il/elle/on lit	il/elle/on a lu	il/elle/on lisait	il/elle/on avait lu	il/elle/on lira	qu'il/elle/on lise	il/elle/on lirait	il/elle/on aurait lu
nous lisons	nous avons lu	nous lisions	nous avions lu	nous lirons	que nous lisions	nous lirions	nous aurions lu
vous lisez	vous avez lu	vous lisiez	vous aviez lu	vous lirez	que vous lisiez	vous liriez	vous auriez lu
ils/elles lisent	ils/elles ont lu	ils/elles lisaient	ils/elles avaient lu	ils/elles liront	qu'ils/elles lisent	ils/elles liraient	ils/elles auraient lu

METTRE (mis)

INDICATIF					SUBJONCTIF	CONDITIONNEL	
présent	passé composé	imparfait	plus-que-parfait	futur simple	présent	présent	passé
je mets	j'ai mis	je mettais	j'avais mis	je mettrai	que je mette	je mettrais	j'aurais mis
tu mets	tu as mis	tu mettais	tu avais mis	tu mettras	que tu mettes	tu mettrais	tu aurais mis
il/elle/on met	il/elle/on a mis	il/elle/on mettait	il/elle/on avait mis	il/elle/on mettra	qu'il/elle/on mette	il/elle/on mettrait	il/elle/on aurait mis
nous mettons	nous avons mis	nous mettions	nous avions mis	nous mettrons	que nous mettions	nous mettrions	nous aurions mis
vous mettez	vous avez mis	vous mettiez	vous aviez mis	vous mettrez	que vous mettiez	vous mettriez	vous auriez mis
ils/elles mettent	ils/elles ont mis	ils/elles mettaient	ils/elles avaient mis	ils/elles mettront	qu'ils/elles mettent	ils/elles mettraient	ils/elles auraient mis

OFFRIR (offert)

INDICATIF					SUBJONCTIF	CONDITIONNEL	
présent	passé composé	imparfait	plus-que-parfait	futur simple	présent	présent	passé
j'offre	j'ai offert	j'offrais	j'avais offert	j'offrirai	que j'offre	j'offrirais	j'aurais offert
tu offres	tu as offert	tu offrais	tu avais offert	tu offriras	que tu offres	tu offrirais	tu aurais offert
il/elle/on offre	il/elle/on a offert	il/elle/on offrait	il/elle/on avait offert	il/elle/on offrira	qu'il/elle/on offre	il/elle/on offrirait	il/elle/on aurait offert
nous offrons	nous avons offert	nous offrions	nous avions offert	nous offrirons	que nous offrions	nous offririons	nous aurions offert
vous offrez	vous avez offert	vous offriez	vous aviez offert	vous offrirez	que vous offriez	vous offririez	vous auriez offert
ils/elles offrent	ils/elles ont offert	ils/elles offraient	ils/elles avaient offert	ils/elles offriront	qu'ils/elles offrent	ils/elles offriraient	ils/elles auraient offert

OUVRIR (ouvert)

INDICATIF					SUBJONCTIF	CONDITIONNEL	
présent	passé composé	imparfait	plus-que-parfait	futur simple	présent	présent	passé
j'ouvre	j'ai ouvert	j'ouvrais	j'avais ouvert	j'ouvrirai	que j'ouvre	j'ouvrirais	j'aurais ouvert
tu ouvres	tu as ouvert	tu ouvrais	tu avais ouvert	tu ouvriras	que tu ouvres	tu ouvrirais	tu aurais ouvert
il/elle/on ouvre	il/elle/on a ouvert	il/elle/on ouvrait	il avait ouvert	il/elle/on ouvrira	qu'il/elle/on ouvre	il/elle/on ouvrirait	il/elle/on aurait ouvert
nous ouvrons	nous avons ouvert	nous ouvrions	nous avions ouvert	nous ouvrirons	que nous ouvrions	nous ouvririons	nous aurions ouvert
vous ouvrez	vous avez ouvert	vous ouvriez	vous aviez ouvert	vous ouvrirez	que vous ouvriez	vous ouvririez	vous auriez ouvert
ils/elles ouvrent	ils/elles ont ouvert	ils/elles ouvraient	ils/elles avaient ouvert	ils/elles ouvriront	qu'ils/elles ouvrent	ils/elles ouvriraient	ils/elles auraient ouvert

PARTIR* (parti)

*• Le verbe **sortir** se conjugue sur ce modèle. Attention, il peut aussi s'employer avec l'auxiliaire **avoir** : J'ai sorti mon livre de mon sac à dos.*

INDICATIF					SUBJONCTIF	CONDITIONNEL	
présent	passé composé	imparfait	plus-que-parfait	futur simple	présent	présent	passé
je pars	je suis parti(e)	je partais	j'étais parti(e)	je partirai	que je parte	je partirais	je serais parti(e)
tu pars	tu es parti(e)	tu partais	tu étais parti(e)	tu partiras	que tu partes	tu partirais	tu serais parti(e)
il/elle/on part	il/elle/on est parti(e)	il/elle/on partait	il/elle/on était parti(e)	il/elle/on partira	qu'il/elle/on parte	il/elle/on partirait	il/elle/on serait parti(e)
nous partons	nous sommes parti(e)s	nous partions	nous étions parti(e)s	nous partirons	que nous partions	nous partirions	nous serions parti(e)s
vous partez	vous êtes parti(e)(s)	vous partiez	vous étiez parti(e)(s)	vous partirez	que vous partiez	vous partiriez	vous seriez parti(e)(s)
ils/elles partent	ils/elles sont parti(e)s	ils/elles partaient	ils/elles étaient parti(e)s	ils/elles partiront	qu'ils/elles partent	ils/elles partiraient	ils/elles seraient parti(e)s

PEINDRE (peint)

INDICATIF					SUBJONCTIF	CONDITIONNEL	
présent	passé composé	imparfait	plus-que-parfait	futur simple	présent	présent	passé
je peins	j'ai peint	je peignais	j'avais peint	je peindrai	que je peigne	je peindrais	j'aurais peint
tu peins	tu as peint	tu peignais	tu avais peint	tu peindras	que tu peignes	tu peindrais	tu aurais peint
il/elle/on peint	il/elle/on a peint	il/elle/on peignait	il/elle/on avait peint	il/elle/on peindra	qu'il/elle/on peigne	il/elle/on peindrait	il/elle/on aurait peint
nous peignons	nous avons peint	nous peignions	nous avions peint	nous peindrons	que nous peignions	nous peindrions	nous aurions peint
vous peignez	vous avez peint	vous peigniez	vous aviez peint	vous peindrez	que vous peigniez	vous peindriez	vous auriez peint
ils/elles peignent	ils/elles ont peint	ils/elles peignaient	ils/elles avaient peint	ils/elles peindront	qu'ils/elles peignent	ils/elles peindraient	ils/elles auraient peint

PERDRE (perdu)

INDICATIF					SUBJONCTIF	CONDITIONNEL	
présent	passé composé	imparfait	plus-que-parfait	futur simple	présent	présent	passé
je perds	j'ai perdu	je perdais	j'avais perdu	je perdrai	que je perde	je perdrais	j'aurais perdu
tu perds	tu as perdu	tu perdais	tu avais perdu	tu perdras	que tu perdes	tu perdrais	tu aurais perdu
il/elle/on perd	il/elle/on a perdu	il/elle/on perdait	il/elle/on avait perdu	il/elle/on perdra	qu'il/elle/on perde	il/elle/on perdrait	il/elle/on aurait perdu
nous perdons	nous avons perdu	nous perdions	nous avions perdu	nous perdrons	que nous perdions	nous perdrions	nous aurions perdu
vous perdez	vous avez perdu	vous perdiez	vous aviez perdu	vous perdrez	que vous perdiez	vous perdriez	vous auriez perdu
ils/elles perdent	ils/elles ont perdu	ils/elles perdaient	ils/elles avaient perdu	ils/elles perdront	qu'ils/elles perdent	ils/elles perdraient	ils/elles auraient perdu

POUVOIR (pu)

• Dans les questions avec inversion verbe-sujet, on utilise la forme ancienne de la 1re personne du singulier : Puis-je vous renseigner ?

INDICATIF					SUBJONCTIF	CONDITIONNEL	
présent	passé composé	imparfait	plus-que-parfait	futur simple	présent	présent	passé
je peux	j'ai pu	je pouvais	j'avais pu	je pourrai	que je puisse	je pourrais	j'aurais pu
tu peux	tu as pu	tu pouvais	tu avais pu	tu pourras	que tu puisses	tu pourrais	tu aurais pu
il/elle/on peut	il/elle/on a pu	il/elle/on pouvait	il/elle/on avait pu	il/elle/on pourra	qu'il/elle/on puisse	il/elle/on pourrait	il/elle/on aurait pu
nous pouvons	nous avons pu	nous pouvions	nous avions pu	nous pourrons	que nous puissions	nous pourrions	nous aurions pu
vous pouvez	vous avez pu	vous pouviez	vous aviez pu	vous pourrez	que vous puissiez	vous pourriez	vous auriez pu
ils/elles peuvent	ils/elles ont pu	ils/elles pouvaient	ils/elles avaient pu	ils/elles pourront	qu'ils/elles puissent	ils/elles pourraient	ils/elles auraient pu

PRENDRE (pris)

INDICATIF					SUBJONCTIF	CONDITIONNEL	
présent	passé composé	imparfait	plus-que-parfait	futur simple	présent	présent	passé
je prends tu prends il/elle/on prend nous prenons vous prenez ils/elles prennent	j'ai pris tu as pris il/elle/on a pris nous avons pris vous avez pris ils/elles ont pris	je prenais tu prenais il/elle/on prenait nous prenions vous preniez ils/elles prenaient	j'avais pris tu avais pris il/elle/on avait pris nous avions pris vous aviez pris ils/elles avaient pris	je prendrai tu prendras il/elle/on prendra nous prendrons vous prendrez ils/elles prendront	que je prenne que tu prennes qu'il/elle/on prenne que nous prenions que vous preniez qu'ils/elles prennent	je prendrais tu prendrais il/elle/on prendrait nous prendrions vous prendriez ils/elles prendraient	j'aurais pris tu aurais pris il/elle/on aurait pris nous aurions pris vous auriez pris ils/elles auraient pris

REMPLIR (rempli)

INDICATIF					SUBJONCTIF	CONDITIONNEL	
présent	passé composé	imparfait	plus-que-parfait	futur simple	présent	présent	passé
je remplis tu remplis il/elle/on remplit nous remplissons vous remplissez ils/elles remplissent	j'ai rempli tu as rempli il/elle/on a rempli nous avons rempli vous avez rempli ils/elles ont rempli	je remplissais tu remplissais il/elle/on remplissait nous remplissions vous remplissiez ils/elles remplissaient	j'avais rempli tu avais rempli il/elle/on avait rempli nous avions rempli vous aviez rempli ils/elles avaient rempli	je remplirai tu rempliras il/elle/on remplira nous remplirons vous remplirez ils/elles rempliront	que je remplisse que tu remplisses qu'il/elle/on remplisse que nous remplissions que vous remplissiez qu'ils/elles remplissent	je remplirais tu remplirais il/elle/on remplirait nous remplirions vous rempliriez ils/elles rempliraient	j'aurais rempli tu aurais rempli il/elle/on aurait rempli nous aurions rempli vous auriez rempli ils/elles auraient rempli

REPARTIR (reparti)

INDICATIF					SUBJONCTIF	CONDITIONNEL	
présent	passé composé	imparfait	plus-que-parfait	futur simple	présent	présent	passé
je repars tu repars il/elle/on repart nous repartons vous repartez ils/elles repartent	je suis reparti(e) tu es reparti(e) il/elle/on est reparti(e) nous sommes reparti(e)s vous êtes reparti(e)(s) ils/elles sont reparti(e)s	je repartais tu repartais il/elle/on repartait nous repartions vous repartiez ils/elles repartaient	j'étais reparti(e) tu étais reparti(e) il/elle/on était reparti(e) nous étions reparti(e)s vous étiez reparti(e)(s) ils/elles étaient reparti(e)s	je repartirai tu repartiras il/elle/on repartira nous repartirons vous repartirez ils/elles repartiront	que je reparte que tu repartes qu'il/elle/on reparte que nous repartions que vous repartiez qu'ils/elles repartent	je repartirais tu repartirais il/elle/on repartirait nous repartirions vous repartiriez ils/elles repartiraient	je serais reparti(e) tu serais reparti(e) il/elle/on serait reparti(e) nous serions reparti(e)s vous seriez reparti(e)(s) ils/elles seraient reparti(e)s

SAVOIR (su)

INDICATIF					SUBJONCTIF	CONDITIONNEL	
présent	passé composé	imparfait	plus-que-parfait	futur simple	présent	présent	passé
je sais tu sais il/elle/on sait nous savons vous savez ils/elles savent	j'ai su tu as su il/elle/on a su nous avons su vous avez su ils/elles ont su	je savais tu savais il/elle/on savait nous savions vous saviez ils/elles savaient	j'avais su tu avais su il/elle/on avait su nous avions su vous aviez su ils/elles avaient su	je saurai tu sauras il/elle/on saura nous saurons vous saurez ils/elles sauront	que je sache que tu saches qu'il/elle/on sache que nous sachions que vous sachiez qu'ils/elles sachent	je saurais tu saurais il/elle/on saurait nous saurions vous sauriez ils/elles sauraient	j'aurais su tu aurais su il/elle/on aurait su nous aurions su vous auriez su ils/elles auraient su

SUIVRE (suivi)

*• La 1ʳᵉ personne des verbes **suivre** et **être** est identique au présent de l'indicatif : je suis.*

INDICATIF					SUBJONCTIF	CONDITIONNEL	
présent	passé composé	imparfait	plus-que-parfait	futur simple	présent	présent	passé
je suis	j'ai suivi	je suivais	j'avais suivi	je suivrai	que je suive	je suivrais	j'aurais suivi
tu suis	tu as suivi	tu suivais	tu avais suivi	tu suivras	que tu suives	tu suivrais	tu aurais suivi
il/elle/on suit	il/elle/on a suivi	il/elle/on suivait	il/elle/on avait suivi	il/elle/on suivra	qu'il/elle/on suive	il/elle/on suivrait	il/elle/on aurait suivi
nous suivons	nous avons suivi	nous suivions	nous avions suivi	nous suivrons	que nous suivions	nous suivrions	nous aurions suivi
vous suivez	vous avez suivi	vous suiviez	vous aviez suivi	vous suivrez	que vous suiviez	vous suivriez	vous auriez suivi
ils/elles suivent	ils/elles ont suivi	ils/elles suivaient	ils/elles avaient suivi	ils/elles suivront	qu'ils/elles suivent	ils/elles suivraient	ils/elles auraient suivi

VIVRE (vécu)

INDICATIF					SUBJONCTIF	CONDITIONNEL	
présent	passé composé	imparfait	plus-que-parfait	futur simple	présent	présent	passé
je vis	j'ai vécu	je vivais	j'avais vécu	je vivrai	que je vive	je vivrais	j'aurais vécu
tu vis	tu as vécu	tu vivais	tu avais vécu	tu vivras	que tu vives	tu vivrais	tu aurais vécu
il/elle/on vit	il/elle/on a vécu	il/elle/on vivait	il/elle/on avait vécu	il/elle/on vivra	qu'il/elle/on vive	il/elle/on vivrait	il/elle/on aurait vécu
nous vivons	nous avons vécu	nous vivions	nous avions vécu	nous vivrons	que nous vivions	nous vivrions	nous aurions vécu
vous vivez	vous avez vécu	vous viviez	vous aviez vécu	vous vivrez	que vous viviez	vous vivriez	vous auriez vécu
ils/elles vivent	ils/elles ont vécu	ils/elles vivaient	ils/elles avaient vécu	ils/elles vivront	qu'ils/elles vivent	ils/elles vivraient	ils/elles auraient vécu

VOIR (vu)

*• À l'imparfait, à la 1ʳᵉ et à la 2ᵉ personne du pluriel : nous voyions, vous voyiez. **Voir** prend deux **r** au futur et au conditionnel.*

INDICATIF					SUBJONCTIF	CONDITIONNEL	
présent	passé composé	imparfait	plus-que-parfait	futur simple	présent	présent	passé
je vois	j'ai vu	je voyais	j'avais vu	je verrai	que je voie	je verrais	j'aurais vu
tu vois	tu as vu	tu voyais	tu avais vu	tu verras	que tu voies	tu verrais	tu aurais vu
il/elle/on voit	il/elle/on a vu	il/elle/on voyait	il/elle/on avait vu	il/elle/on verra	qu'il/elle/on voie	il/elle/on verrait	il/elle/on aurait vu
nous voyons	nous avons vu	nous voyions	nous avions vu	nous verrons	que nous voyions	nous verrions	nous aurions vu
vous voyez	vous avez vu	vous voyiez	vous aviez vu	vous verrez	que vous voyiez	vous verriez	vous auriez vu
ils/elles voient	ils/elles ont vu	ils/elles voyaient	ils/elles avaient vu	ils/elles verront	qu'ils/elles voient	ils/elles verraient	ils/elles auraient vu

VOULOIR (voulu)

INDICATIF					SUBJONCTIF	CONDITIONNEL	
présent	passé composé	imparfait	plus-que-parfait	futur simple	présent	présent	passé
je veux	j'ai voulu	je voulais	j'avais voulu	je voudrai	que je veuille	je voudrais	j'aurais voulu
tu veux	tu as voulu	tu voulais	tu avais voulu	tu voudras	que tu veuilles	tu voudrais	tu aurais voulu
il/elle/on veut	il/elle/on a voulu	il/elle/on voulait	il/elle/on avait voulu	il/elle/on voudra	qu'il/elle/on veuille	il/elle/on voudrait	il/elle/on aurait voulu
nous voulons	nous avons voulu	nous voulions	nous avions voulu	nous voudrons	que nous voulions	nous voudrions	nous aurions voulu
vous voulez	vous avez voulu	vous vouliez	vous aviez voulu	vous voudrez	que vous vouliez	vous voudriez	vous auriez voulu
ils/elles veulent	ils/elles ont voulu	ils/elles voulaient	ils/elles avaient voulu	ils/elles voudront	qu'ils/elles veuillent	ils/elles voudraient	ils/elles auraient voulu

Index

NOUVEAU
ROND-POINT
PAS À PAS B1.1

CAHIER D'ACTIVITÉS

Catherine Flumian
Josiane Labascoule
Philippe Liria
Corinne Royer

SOMMAIRE DU CAHIER

1. HISTOIRES D'APPART

A. Complétez les phrases avec le bon verbe conjugué.

1. Les annonces qui nous .... (**intéresser / lire / vendre**) sont à la fin du journal.

2. Si cet appartement vous .... (**gêner / plaire / énerver**), prenez-le !

3. Si le bruit vous .... (**gêner / plaire / intéresser**) pour dormir, ne prenez pas ce studio !

4. Le propriétaire va vous louer l'appart sans aucun problème si vous lui .... (**gêner / agacer / plaire**).

5. Les fêtes que font ses voisins la .... (**agacer / déranger / plaire**).

6. Les fuites d'eau et la mauvaise isolation sont les problèmes qui nous .... (**énerver / plaire / intéresser**) le plus dans cet appart.

7. Ces histoires d'appart, ça m'.......................... (**irriter / déranger / intéresser**) à un point inimaginable !

8. J'ai visité deux appartements qui me .... (**intéresser / plaire / agacer**) beaucoup.

9. Ce qui me .... (**plaire / agacer / déranger**) dans cet appart, c'est sa luminosité.

10. Moi, les gens qui mettent la musique très tard, ça m'.......................... (**déranger / plaire / agacer**) !

B. Relisez les phrases précédentes. Comment avez-vous accordé les verbes ? Complétez les tableaux ci-dessous.

	SUJET SINGULIER	VERBES
2		
3		
4		
7		
9		
10		

	SUJET PLURIEL	VERBES
1	Les annonces	nous intéressent
5		
6		
8		

2. LE NOUVEAU VOISIN ? IL N'A PAS L'AIR COMMODE !

Lisez ces dialogues et complétez-les à l'aide des locutions verbales
et des adjectifs des encadrés.

> avoir l'air (de)   trouver   sembler

> autoritaire   bizarre   content   fâché   charmant
> fatiguée   nulle   sympa

● Paul, ne fais pas cette tête-là, tu ....
Tu t'es encore disputé avec ta coloc ?
○ Pas du tout. C'est la facture d'électricité qui me met dans cet
état.

● Tu as vu Clara aujourd'hui ? Je ....
○ Je crois qu'il s'est passé quelque chose entre elle et son
copain.

● Le voisin du dessous ....
aujourd'hui.
○ Tu as raison, on a intérêt à faire moins de bruit cette nuit !

● La nouvelle concierge ? Moi, je ....
○ Pas du tout, elle vraiment très gentille.

● Tu .... Tu n'as pas bien dormi ?
○ Si si, mais bon... j'ai eu une semaine assez compliquée.

● On n'a qu'à organiser une fête surprise pour son
anniversaire ! C'est vraiment une excellente idée.
○ Eh bien, moi je .... : on sait
bien qu'elle déteste ce genre de fête.

● Le nouveau coloc de Sophie ....
○ Complètement. Je .... même !

3. CONVERSATION DE PALIER

A. Deux amies parlent de leurs nouveaux voisins.
Complétez leur conversation à l'aide d'expressions qui
expriment l'intensité.

○ Tu as rencontré les nouveaux voisins ?
● Pas encore. Je suis .... prise par le travail.
Tu as eu l'occasion de parler un peu avec eux ? Ils ont l'air
comment ?
○ Ils ont l'air sympa. Surtout elle. Ils sont venus me rendre
visite hier soir. Ils venaient se présenter. Lui, il est un peu
sec mais elle, ... elle est sympa !
● Ah oui, à ce point-là ?
○ Oui, je t'assure. D'ailleurs, elle est .... cool
que je lui ai dit de venir à la piscine avec nous demain.
Comme ça, tu feras sa connaissance.
● Et son mari ? Tu l'as trouvé un peu sec, c'est ça ?
○ Oui, mais .... il est mignon !
.... beau, le type !
● Il va falloir que tu me le présentes. Au moins, ça va nous
changer du voisin qu'on avait avant, ... il
était agaçant avec son chien et sa musique !
○ D'ailleurs, on était tous .... énervés après lui
que plus personne ne lui parlait !

B. À votre tour, écrivez un petit texte pour décrire
le caractère d'une personne (parent, ami, voisin,
célébrité...).

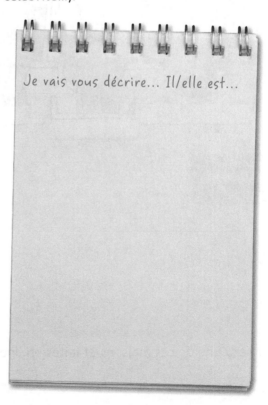

> Je vais vous décrire... Il/elle est...

 C. À l'oral, les intonations accompagnent souvent la description d'une personne. Enregistrez la
description de cette personne avec un camarade et remettez le fichier à votre professeur.

4. LEXIQUE DU LOGEMENT

A. Formez des mots à l'aide des syllabes de ces étiquettes.

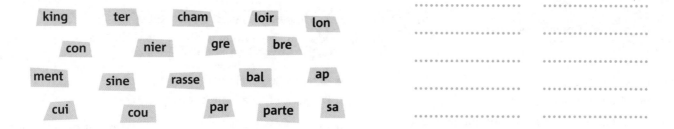

king   ter   cham   loir   lon

con   nier   gre   bre

ment   sine   rasse   bal   ap

cui   cou   par   parte   sa

....

....

....

....

....

B. Maintenant, placez ces mots sur les plans de la maison de la famille Robin, qui habite à Montréal, et sur celle de la famille Chevallier, qui vit près d'Orléans.

**Maison
de la famille Robin
à Montréal**

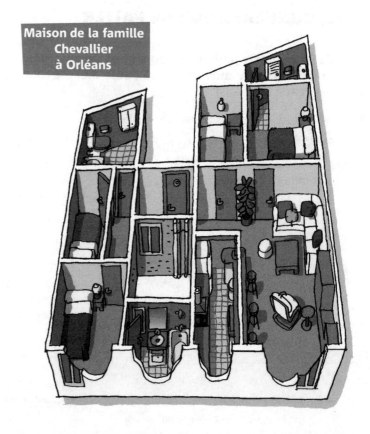

**Maison de la famille
Chevallier
à Orléans**

C. Choisissez l'une de ces maisons et faites-en une courte description.

Quand on entre, on trouve à gauche...

5. À PROPOS DE LA COLOCATION

A. En suivant le modèle des offres de colocation des pages 8 et 9 du **Livre de l'élève**, laissez votre annonce sur ce site Internet.

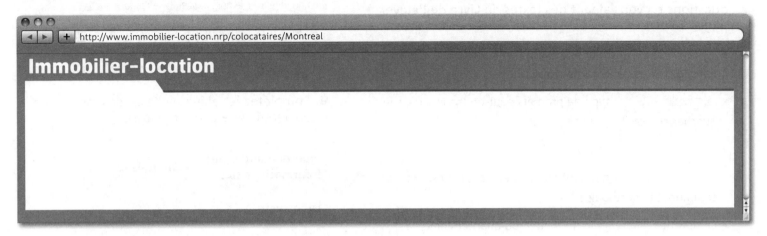

Immobilier-location

http://www.immobilier-location.nrp/colocataires/Montreal

Piste 14

B. Écoutez à présent ces quatre témoignages sur la colocation et remplissez le tableau.

	Pièces citées	Nombre de chambres	Inconvénient(s)	Avantage(s)
1				
2				
3				
4				

C. Et vous ? Habitez-vous en colocation, en famille ou seul(e) ?
Décrivez votre logement avec ses avantages et ses inconvénients.

6. CONDITIONNEL PRÉSENT

A. Vous allez entendre des phrases qui contiennent les verbes ci-dessous au conditionnel.
Indiquez dans la première colonne, dans quel ordre elles sont lues.

	A	B
AVOIR	I	aurais
ÊTRE		
FAIRE		
VOULOIR		
ALLER		

B. Réécoutez ces phrases et écrivez dans la colonne B les verbes au conditionnel. Soulignez les terminaisons.

7. MONTRÉAL, UNE VILLE MULTICULTURELLE !

A. Voici un questionnaire sur Montréal. Complétez les questions en vous aidant des textes du **Livre de l'élève**, pages 16 et 17.

- •........................ sont les quatre communautés présentées dans les textes de **Regards croisés** ?

- •........................ type de produits peut-on trouver dans le quartier chinois ?

- •........................ se trouve-t-il ?

- •........................ moment du XXᵉ siècle s'est constituée la communauté portugaise ?

- • Ce quartier .... loin du quartier chinois ?

- •........................ églises orthodoxes trouve-t-on à Montréal ?

- •........................ est le pourcentage d'immigrants par rapport à la population totale de Montréal ?

- •........................ est la langue la plus utilisée à Montréal ?

B. Complétez le tableau à l'aide des mots interrogatifs que vous connaissez.

Pour demander des informations sur...	On utilise...
La manière	
La quantité	
Le lieu	
La cause	
Le moment	

8. LE MOMENT DE L'ENTRETIEN

A. Une étudiante Erasmus a passé un entretien pour une colocation. À partir de ses réponses, imaginez les questions de ses possibles colocataires.

- • À la fac de lettres.
- • En deuxième année.
- • De Milan.
- • Bien sûr. Et anglais aussi.
- • Merci. Oui, j'en ai fait pendant ma scolarité. Et j'ai le DELF B1.
- • Oui, mais il est resté en Italie.
- • Peut-être. En tout cas, pas souvent. Pendant les vacances...
- • Non, et d'ailleurs c'est pour ça que l'annonce m'intéressait. Je ne supporte pas l'odeur du tabac !
- • Un peu, j'aime bien ça. Vous verrez, je vous ferai plein de petits plats.
- • Vers sept heures pour avoir le temps de me préparer avant de partir. Le week-end, c'est plus tard.
- • Pas de problème, moi aussi, j'adore faire la fête le week-end.

B. Maintenant, écoutez l'enregistrement de l'entretien pour vérifier vos réponses.

Piste 16

9. ÉCHANGES DE RENSEIGNEMENTS

A. Complétez la lettre de Johann à l'aide des verbes proposés tout en respectant les protocoles de politesse.

> disposer falloir pouvoir (x 2)
> proposer souhaiter vouloir

Johann Van Maerlant
Rodenburgstraat, 26
8510 Kortrijk (Belgique)
Tél. (00 32) 56 37 04 94

Université Stendhal – Grenoble 3
CROUS
1180 avenue Centrale - Domaine Universitaire
38400 Saint-Martin d'Hères
BP 25 - 38040 Grenoble Cedex 9

Kortrijk, le 12 juillet 2012

Madame, Monsieur,

Je vais bientôt m'installer à Grenoble pour y finir mes études de lettres. Ne souhaitant pas résider en cité universitaire, je .... recevoir des renseignements sur les autres possibilités de logement. .... vous m'envoyer plus particulièrement des adresses d'organismes ou de particuliers qui .... des chambres dans des appartements en colocation ? J'ai aussi entendu parler de studios en foyer de jeunes travailleurs. .... vous d'informations à ce sujet et vous serait-il possible de me les faire parvenir ?

Finalement, je .... connaître les aides sociales auxquelles je .... éventuellement avoir accès en tant qu'étudiant ou le nom de l'organisme auquel il .... que je m'adresse pour faire une demande de dossier.

Dans l'attente de votre réponse, je vous prie d'agréer, Madame, Monsieur, mes meilleures salutations.

Johann Van Maerlant

B. Hans Müller a obtenu une bourse universitaire. Il a envoyé un courriel à l'université pour se renseigner sur les possibilités de logement. Voici leur réponse. Retrouvez maintenant les questions que Hans a posées.

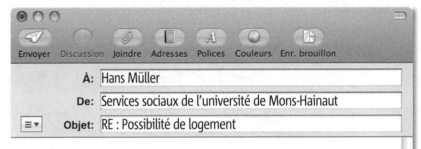

À: Hans Müller
De: Services sociaux de l'université de Mons-Hainaut
Objet: RE : Possibilité de logement

Monsieur,

Suite à votre message, nous avons le plaisir de vous informer que la ville de Mons offre de nombreuses possibilités de logement. Vous pouvez effectivement loger dans la cité universitaire. C'est un lieu agréable. Bien évidemment, votre bourse Erasmus vous permet d'y accéder prioritairement. Mais vous pouvez aussi prendre une chambre d'étudiant (un « kot ») dans une maison que vous partagerez avec d'autres étudiants. Comme vous nous le demandez, nous vous joignons une liste de propriétaires de kots. Concernant les tarifs, nous ne pouvons pas vous répondre car ceux-ci varient en fonction du logement mais comptez environ 250 €/mois.

Pour plus de renseignements, nous vous conseillons de consulter le site Internet : www.universitemons.be.

Veuillez agréer, Monsieur, nos meilleures salutations.

Resp. Services Sociaux Université Mons-Hainaut

C. À présent, écrivez la lettre de Hans dans votre cahier.

10. AVEC OU SANS ESPACE

A. Observez la ponctuation dans votre **Livre de l'élève**, puis répondez à ce petit test. Accompagnez chaque réponse d'un exemple.

	Espace	Pas d'espace
Point d'interrogation (?)		
Point d'exclamation (!)		
Point (.)		
Deux points (:)		
Guillemets (« . »)		
Virgule (,)		
Point-virgule (;)		

B. Complétez la règle suivante.

Règle :
En français standard, on laisse .... si le signe de ponctuation comprend deux éléments. Sinon, on n'en laisse qu' ....

11. LES INTONATIONS DE L'AFFIRMATION ET DE LA QUESTION

Piste 17

A. Savez-vous reconnaître l'intonation d'une question ? Et celle d'une affirmation ? Écoutez.

Dans une affirmation, l'intonation est descendante en fin de phrase :

Sandra arrive de Rome demain matin.

Les voisins de Christian sont sympathiques.

Attention !

Dans une question indirecte, l'intonation est celle d'une phrase affirmative;

Il demande si Sandra arrive de Rome demain matin.

B. Écoutez.
Piste 18

Sans modifier l'ordre des mots mais en changeant leur intonation, vous pouvez les transformer en phrases interrogatives :

Sandra arrive de Rome demain matin ?

Les voisins de Christian sont sympathiques ?

D. Entraînez-vous à bien reproduire ces intonations en remplaçant les mots par un «la, la, la».

E. Écoutez maintenant les phrases suivantes. Mettez un point s'il s'agit d'une affirmation ou un point d'interrogation s'il s'agit d'une question.
Piste 20

1. Il a payé son loyer...

2. C'est difficile de trouver un logement bon marché...

3. Patrick a un colocataire super sympa...

4. Tu connais les nouveaux voisins...

5. Elle partage son appart avec une amie d'enfance...

6. Pierre et Fatiha ont refait la peinture de l'appart...

7. Tu habites ici...

8. Les étudiants peuvent demander une allocation...

9. Elle déménage dimanche prochain...

10. Les voisins de Judith sont anglais...

C. Écoutez.
Piste 19

On retrouve aussi cette intonation montante dans les autres formes interrogatives :

Est-ce que Sandra arrive de Rome demain matin ?

Est-ce que les voisins de Christian sont sympas ?

12. LES MOTS EN RÉSEAU

A. Seul, notez tous les mots que vous suggère le mot central de ces cartes heuristiques.

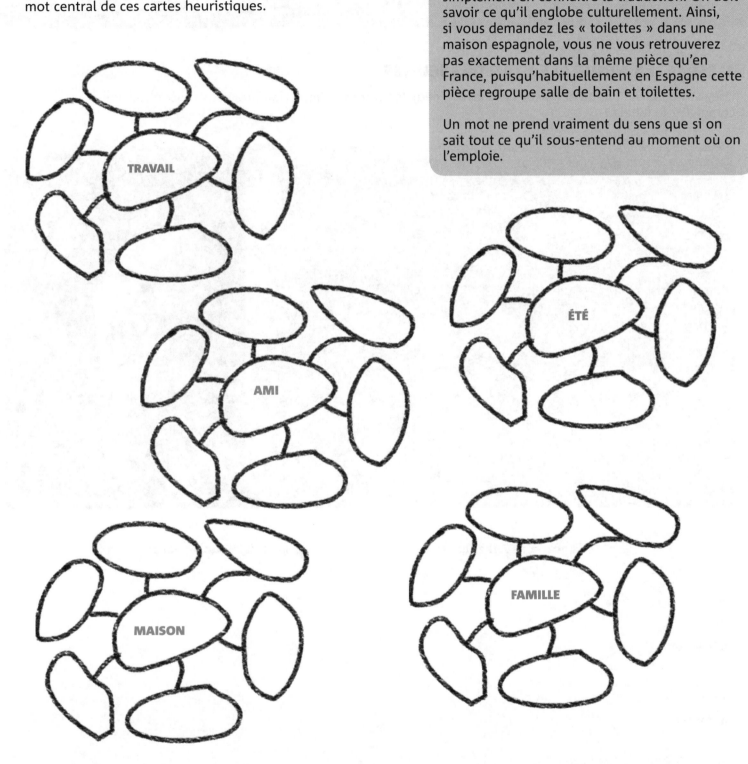

B. Comparez vos résultats avec ceux d'un autre étudiant. Votre binôme a-t-il associé les mots de la même manière ? Pourquoi ?

2 RETOUR VERS LE PASSÉ

1. EMMA, LA NOUVELLE STAR DES JEUNES

Lisez l'interview d'Emma et placez dans les tableaux les verbes à l'imparfait que vous rencontrez. Puis, complétez le tableau.

EMMA, QUEL GENRE D'ÉLÈVE ÉTIEZ-VOUS ?
J'étais assez bonne élève mais j'étais très bavarde. Je parlais beaucoup en classe.

SI VOUS ÉTIEZ BONNE ÉLÈVE, VOUS NE TRICHIEZ PAS EN COURS, N'EST-CE PAS ?
Parfois, je faisais des antisèches. Mais c'était assez rare quand même.

QUELLE ÉTAIT LA MATIÈRE QUE VOUS AIMIEZ LE MOINS ?
Sans aucun doute, l'anglais. Je me sentais ridicule quand je devais parler en anglais devant le reste dans la classe.

AVIEZ-VOUS BEAUCOUP DE COPAINS ET DE COPINES ?
J'avais surtout deux bonnes copines. Nous nous voyions en dehors des cours et nous allions souvent chanter des tubes de l'époque dans le garage de mes parents.

COMMENT VOUS HABILLIEZ-VOUS POUR ALLER AU COLLÈGE ?
Mes parents me laissaient libre de mettre ce que je voulais. Et je portais un foulard presque tout le temps.

QUEL EST VOTRE PIRE SOUVENIR DU COLLÈGE ?
L'emploi du temps ! Mes cours commençaient toujours à 8 h et, comme mes parents travaillaient, je devais attendre 17 h pour sortir même si mes cours finissaient avant !

ET VOTRE MEILLEUR SOUVENIR ?
Il y en a beaucoup mais je crois que le meilleur, c'est quand on m'a demandé pour la première fois de chanter pour le spectacle de fin d'année. J'avais un trac énorme mais tout s'est bien passé et, depuis, je n'ai jamais arrêté de chanter...

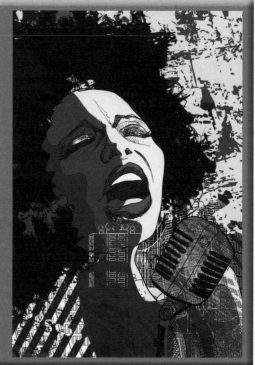

	Imparfait - Verbes en **-er**			Imparfait - **Autres verbes**	
	Parler			Finir	
je/j'					
tu					
il / elle / on					
nous					
vous					
ils / elles					

Imparfait **Être**	(seul verbe irrégulier)		
j'		nous	
tu		vous	
il / elle / on		ils / elles	

2. DANS LE TEMPS...

Comparez en quelques phrases votre vie quotidienne et celle
de vos grands-parents quand ils avaient votre âge.

● Aujourd'hui, *nous avons une alimentation très variée.*

○ Mais, il y a 50 ans, *les gens mangeaient moins bien.*

● Aujourd'hui, ...

○ Mais, en 1950, ...

● Aujourd'hui, ...

○ Mais, autrefois / dans le temps, ...

● À notre époque, ...

○ Mais, quand mes grands-parents étaient jeunes, ...

3. ET SI VOUS VOUS SOUVENIEZ D'UNE VIE PASSÉE... ?

Imaginez un instant que vous vous souveniez d'une vie passée.
Rappelez-vous le métier que vous faisiez, la ville où vous habitiez,
les vêtements que vous portiez, les rapports que vous entreteniez...

• Je vivais en/au/à ....

• Je portais ....

• J'étais ....

• On me respectait / m'aimait / me détestait / me craignait parce que ....

• J'avais ....

• Je faisais ....

• J'aimais ....

• J'étais un homme et j'habitais sur un bateau.
Je portais un bandeau noir sur l'œil
et un perroquet sur l'épaule.
J'étais féroce et on me craignait
beaucoup...

4. L'INSPECTEUR MÈNE L'ENQUÊTE...

A. Classez ces mots dans les encadrés qui conviennent.

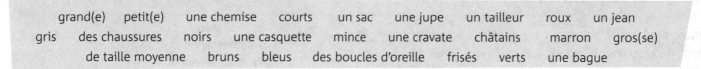

grand(e)   petit(e)   une chemise   courts   un sac   une jupe   un tailleur   roux   un jean
gris   des chaussures   noirs   une casquette   mince   une cravate   châtains   marron   gros(se)
de taille moyenne   bruns   bleus   des boucles d'oreille   frisés   verts   une bague

Il / Elle est (plutôt)...

Il / Elle a les cheveux...

Il / Elle a les yeux...

Il / Elle porte... (vêtements)

Il / Elle porte... (accessoires)

B. Maintenant, observez les notes de l'inspecteur et complétez la description des suspects, en remplaçant les illustrations par les mots correspondant à la description.

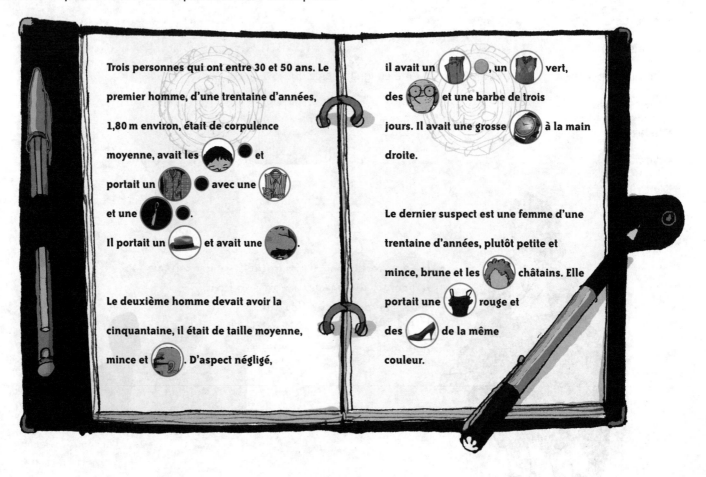

Trois personnes qui ont entre 30 et 50 ans. Le premier homme, d'une trentaine d'années, 1,80 m environ, était de corpulence moyenne, avait les ⬤ et portait un ⬤ avec une et une ⬤. Il portait un 🎩 et avait une ⬤.

Le deuxième homme devait avoir la cinquantaine, il était de taille moyenne, mince et ⬤. D'aspect négligé,

il avait un ⬤, un vert, des 👓 et une barbe de trois jours. Il avait une grosse ⌚ à la main droite.

Le dernier suspect est une femme d'une trentaine d'années, plutôt petite et mince, brune et les châtains. Elle portait une 👚 rouge et des 👠 de la même couleur.

C. Maintenant, dessinez le portrait robot des trois suspects.

5. DES ALIBIS SOLIDES ?

Piste 21

A. Un hold-up a eu lieu hier dans une bijouterie. Écoutez l'inspecteur Le Flair interroger des suspects et notez les alibis de chacun.

B. Quels alibis vous semblent solides ? Lesquels vous semblent douteux ? Pourquoi ? Quelles vérifications pourrait faire la police ?

	Alibi
Suspect 1	
Suspect 2	
Suspect 3	
Suspect 4	
Suspect 5	

6. MME LAGARDE TÉMOIGNE

A. Complétez le témoignage de Mme Lagarde à l'aide de ces verbes. N'oubliez pas d'accorder les participes passés et de faire les élisions nécessaires.

> aller, appeler, arriver (2), attendre, avoir (2), crier, entendre, être (3), faillir, faire, prendre (2), retrouver, s'arrêter, se doucher, se lever, sortir, tenir, voir, vouloir

Hier matin, je .... à sept heures. Et comme d'habitude, je .... mon café et je ....
Une fois habillée, je .... en courant pour prendre mon bus. D'ailleurs, ... le rater ! Je .... au centre-ville vers huit heures et demie. Je .... ma collègue Julie à l'arrêt et nous .... ensemble à pied jusqu'à la banque. À quelques mètres de l'entrée, sur le trottoir d'en face, nous ...., surprises : nous .... qu'il .... en train de se passer quelque chose de bizarre à l'intérieur. Un homme masqué .... en train de faire les cent pas de la porte au guichet et du guichet à la porte. Il .... l'air nerveux. Un autre .... un sac dans une main et un pistolet dans l'autre. Ce ne .... pas normal évidemment. Julie .... son portable et elle .... la police. Nous .... en face et nous .... des gestes aux gens qui .... entrer et nous .... : « N'entrez pas ! Il y a un hold-up ».
Cinq minutes après notre appel, vous .... avec vos agents mais comme les voleurs .... la sirène, ils .... le temps de prendre la fuite avec le butin.

Piste 22

B. Maintenant, écoutez-la pour vérifier vos réponses.

C. Classez les verbes au passé composé selon qu'ils se conjuguent avec **être** ou avec **avoir**.

ÊTRE	AVOIR

D. Connaissez-vous d'autres verbes qui se conjuguent avec **être** ? Écrivez-les.

....
....
....
....

7. MESSAGE SECRET (1)

Conjuguez les verbes au passé composé puis découvrez le message caché.

a. Hugo et Natasha .... (**se marier**) à Amsterdam.

| S | E | S | O | N | T | M | A | R | I | É | S |

b. Vendredi soir, nous .... (**sortir**) avec des collègues allemands.

☐ ☐ ☐ ☐ ☐ ☐ ☐ ☐ ☐ ☐ [13]

c. Qu'est-ce que vous .... (**faire**) hier soir ?

☐ ☐ ☐ ☐ [1] ☐ ☐ ☐

d. Bruno est en forme, il .... (**monter**) les escaliers en courant.

[8] ☐ ☐ ☐ ☐

e. Ce matin, j'............................... (**écouter**) la radio.

☐ ☐ ☐ [5] ☐ ☐ ☐ ☐

f. J'............................... (**étudier**) tout le week-end.

☐ ☐ ☐ ☐ ☐ ☐ [2]

g. Est-ce que tu .... (**sortir**) le chien ?

☐ ☐ ☐ ☐ ☐ [9] ☐

h. Sarah .... (**ne pas pouvoir**) venir.

[12] ☐ ☐ ☐ ☐ ☐

i. Julien .... (**dire**) la vérité.

☐ ☐ ☐ [7]

j. Je .... (**ne pas comprendre**) votre explication.

☐ ☐ [10] ☐ ☐ ☐ ☐ ☐ ☐ ☐ ☐

k. Stéphanie .... (**se réveiller**) très tôt.

☐ ☐ ☐ ☐ ☐ ☐ ☐ [4] ☐ ☐ ☐

l. Nous .... (**voir**) un film génial hier.

☐ ☐ [11] ☐ ☐ ☐

m. Avant-hier, Anne-Sophie .... (**aller**) au cinéma avec ses amis.

☐ ☐ ☐ [3] ☐ ☐ ☐

Le mot secret est : ....

1   2   3   4   5   6   7   8   9   10   11   12   13

8. MESSAGE SECRET (2)

A. Conjuguez les verbes au passé composé. Quand un verbe se conjugue avec **avoir**, ~~barrez~~ la lettre qui se trouve dans le carré. Si vous faites bien l'exercice, vous découvrirez le message secret avec les lettres restantes.

R 1. Qu'est-ce que tu .... (**faire**) hier soir ?

E 2. Le week-end dernier, nous .... (**aller**) à la plage.

J 3. Nous .... (**voir**) un film formidable hier soir à la télé.

X 4. Ils .... (**se rencontrer**) l'année dernière dans une discothèque.

Z 5. Nous .... (**manger**) des spécialités régionales absolument délicieuses.

C 6. Ce matin, je .... (**ne pas se réveiller**) à l'heure.

E 7. Elle est parisienne mais elle .... (**ne jamais monter**) en haut de la tour Eiffel.

D 8. Je .... (**oublier**) mon sac avec tous mes papiers dans le train.

L 9. À quelle heure est-ce que vous .... (**rentrer**) hier soir ?

U 10. Tu .... (**ne pas voir**) ma chemise verte ? Elle n'est pas dans l'armoire.

S 11. Ils .... (**marcher**) pendant 5 heures sans s'arrêter et ils sont très fatigués.

L 12. Dimanche dernier, il faisait froid alors je .... (**rester**) chez moi.

V 13. Vous .... (**finir**) de travailler à quelle heure hier ?

E 14. Paul et Virginie .... (**se marier**) en 2005.

B 15. Nous .... (**ne pas pouvoir**) te téléphoner.

N 16. Isabelle .... (**naître**) à 23 heures le 31 décembre.

T 17. Ce concert est un échec, le public .... (**ne pas venir**) très nombreux.

D 18. Je .... (**ne pas bien dormir**) cette nuit. Il faisait tellement chaud !

Le message secret est : .... !

B. Complétez les phrases avec le verbe qui convient au passé composé.

● Tu as bonne mine ! Tu .... la plage ?
○ Non, mais .... à la montagne.

● Vous êtes en retard !
○ Je suis absolument désolé ! Mon réveil ....

● Tu as l'air fatigué !
○ Oui, ... cette nuit.

● Peter est à l'hôpital.
○ Qu'est-ce qui lui .... ?
● Il .... la clavicule en tombant de moto.

● Qu'est-ce que je dois faire ? J'.....................................
mes clefs ! Je ne peux pas rentrer chez moi !
○ Appelle un serrurier !

● Alors, tu as les résultats des examens ?
○ Oui, et je suis très contente : ....
tous les examens. Et toi ?
● Moi non, ... une mauvaise note en statistiques.

● Tu as des nouvelles de Julien ?
○ Oui, ... un courriel ce matin.

9. CASSE-TÊTE

Aidez le passeur à résoudre ce casse-tête.

Le passeur a un problème : il doit transporter le chou, la chèvre et le loup sur la rive droite de la rivière mais sa barque est trop petite pour les transporter tous en même temps. Il doit donc les transporter un par un. Mais dans quel ordre ? Le passeur sait que s'il laisse la chèvre seule avec le chou, la chèvre mangera le chou et s'il laisse la chèvre seule avec le loup, ce dernier mangera la chèvre. Comment faire ?

D'abord, le passeur transporte

....

sur la rive droite de la rivière.

Ensuite, ...

....

Puis, ...

....

Après, ...

....

Enfin, ...

10. CHANGER SES HABITUDES...

A. Retrouvez l'événement qui a fait changer les habitudes, les goûts ou l'aspect de ces personnes.

a. un jour, j'en ai trop mangé et j'ai fait une grosse indigestion

b. un été, je suis tombée amoureuse d'un Anglais et nous sommes sortis ensemble pendant deux ans

c. l'été dernier, je me suis cassé le pied

d. il y a deux ans, mon père a changé d'emploi et nous sommes allés vivre à Paris

1. Avant, je jouais au football trois fois par semaine. Mais .... et maintenant je ne peux plus jouer.

2. Quand j'étais petite, j'adorais les bananes flambées. Mais .... Depuis ce jour, je ne mange plus de bananes.

3. Il y a quelques années, nous habitions à Chamonix dans les Alpes et, en hiver, nous allions souvent skier. Mais .... Aujourd'hui, nous allons skier seulement une fois ou deux dans l'année.

4. Je n'aimais pas du tout l'anglais quand j'étais au collège et j'avais toujours de mauvaises notes. Mais .... Aujourd'hui, je parle très bien l'anglais.

B. Répondez à ces trois questions.

• À quel temps est exprimée l'ancienne habitude ?
• À quel temps est formulé l'événement qui les a fait changer ?
• À quel temps est formulée la nouvelle habitude ou l'habitude modifiée ?

11. QUESTION DE PLACE

Complétez ces mini-dialogues : conjuguez le verbe au passé composé et placez correctement l'adverbe entre parenthèses.

1. ● Vous avez terminé votre livre ?

○ Non, ... (**terminer / encore**).

2. ● Tu as l'air fatigué ?

○ C'est vrai, ... (**dormir / beaucoup**).

3. ● Tu veux reprendre un peu de viande ?

○ Non merci, ... (**manger / assez**) comme ça.

4. ● Tu as commis beaucoup d'erreurs.

○ Je sais. C'est parce que .... (**relire / bien**) mon texte.

5. ● Tu n'as pas soif ?

○ Oh si, je crois que .... (**parler / trop**) !

6. ● Pourquoi il n'a pas reçu ton courriel ?

○ Parce que .... (**écrire / mal**) son adresse.

12. L'INTERROGATOIRE

Piste 23

Hugo est interrogé par madame le juge. Écoutez et choisissez les réponses correctes.

1. Où était Hugo vendredi 27 août à partir de 17 heures ?

☐ Hugo était chez lui entre 17 h 00 et 18 h 30.
☐ Hugo est sorti faire des courses à 17 h 00.
☐ Un ami est venu chez Hugo à 17 h 00.

2. Où est-il allé vers 19 heures ?

☐ Vers 19 h 00, Hugo est allé voir un copain.
☐ Vers 19 h 00, Hugo est allé au club de sport pour faire un peu de musculation.
☐ Entre 19 h 00 et 20 h 00, Hugo a chatté avec des copains sur Internet.

3. Où a-t-il dîné ?

☐ Chez Freddy.
☐ Dans un bar.
☐ Chez lui.

4. Qu'a-t-il fait ce soir-là ?

☐ Il est allé au cinéma voir le film *Désirs et Murmures*.
☐ Il n'est pas allé au cinéma ce soir-là.
☐ Il est resté chez son copain Freddy jusqu'à minuit.

13. IMPARFAIT OU PASSÉ COMPOSÉ ?

Piste 24

A. Vous allez entendre dix paires de verbes. Écoutez-les et indiquez, comme dans l'exemple, dans quel ordre vous les entendez.

B. Maintenant, lisez à un camarade six verbes à la première personne de l'imparfait et au passé composé dans l'ordre de votre choix. Il devra vous dire quel est le temps que vous avez dit en premier.

C. Enfin, entraînez-vous à bien différencier les colonnes **A** et **B** de ce tableau : enregistrez-vous puis remettez votre fichier à votre professeur.

	Colonne A		Colonne B
	Passé composé		Imparfait
a	2	j'ai passé	1	je passais
b		j'ai parlé		je parlais
c		j'ai travaillé		je travaillais
d		j'ai dansé		je dansais
e		j'ai étudié		j'étudiais
f		j'ai mangé		je mangeais
g		j'ai écouté		j'écoutais
h		j'ai voyagé		je voyageais
i		j'ai participé		je participais
j		j'ai acheté		j'achetais

14. DIFFÉRENCIER [ɛ] ET [e]

Piste 25

A. Écoutez ces phrases et entourez la forme qui convient.

1. aller — allé — allais

2. habiter — habité — habitait

3. commencer — commencé — commençait

4. sonner — sonné — sonnait

5. arrêter — arrêté — arrêtait

6. chercher — cherché — cherchait

7. danser — dansé — dansait

8. manger — mangé — mangeaient

9. rater — raté — ratait

10. parler — parlé — parlais

B. Complétez le tableau avec les formes graphiques associés à [ɛ] et [e] en français standard.

	[ɛ]	[e]
-er		
-é		
-ai		
-ait / -ais		

15. LE PLAISIR DE LIRE

A. Associez ces genres littéraires à ces titres de la littérature française ou francophone.

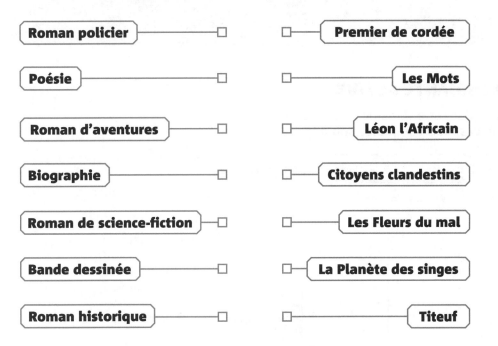

Roman policier — □   □ — Premier de cordée

Poésie — □   □ — Les Mots

Roman d'aventures — □   □ — Léon l'Africain

Biographie — □   □ — Citoyens clandestins

Roman de science-fiction — □   □ — Les Fleurs du mal

Bande dessinée — □   □ — La Planète des singes

Roman historique — □   □ — Titeuf

B. Connaissez-vous les auteurs de ces œuvres ? Choisissez-en un et rédigez une courte présentation de son parcours.

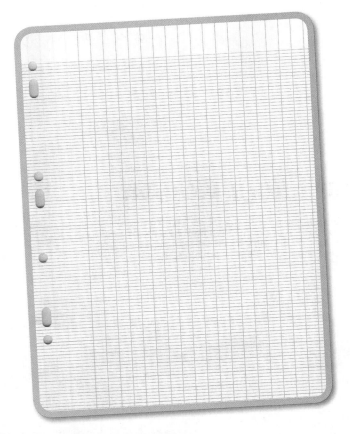

16. DANS VOTRE LANGUE ?

Connaissez-vous des auteurs de langue française qui ont été traduits dans votre langue ? Et connaissez-vous des auteurs de votre langue qui ont été traduits en français ? Parlez-en en classe ou enregistrez-vous.

1. JACKIE LECRAQUE : UNE ÉTUDIANTE ACTIVE

Piste 26

A. Voici les activités de Jackie Lecraque pour cette semaine. Écoutez l'interview réalisée par le journal universitaire *Campus*, puis complétez son agenda.

8 Lundi	9 Mardi	10 Mercredi	11 Jeudi	12 Vendredi	13 Samedi
8	8	8	8	8	
9	9	9	9	9	
10	10	10	10	10	
11	11	11	11	11	
12	12	12	12	12	
13	13	13	13	13	
14	14	14	14	14	
15	15	15	15	15	14 Dimanche
16	16	16	16	16	
17	17	17	17	17	
18	18	18	18	18	
19	19	19	19	19	
20	20	20	20	20	
21	21	21	21	21	

a. Soirée avec son petit copain.

b. Sortie à la patinoire.

c. Visite d'une expo d'art contemporain.

d. Réunion à l'association Clowns sans Frontières.

e. Répétitions avec le groupe de rock.

f. Atelier de théâtre avec la troupe universitaire.

g. Soirée discothèque.

h. Randonnée à pied.

B. Finissez de rédiger l'article.

JOURNAL CAMPUS

UNE ÉTUDIANTE HORS DU COMMUN : JACKIE LECRAQUE

Nous avons interviewé la responsable de la troupe de théâtre universitaire Les claquettes, Jackie Lecraque, étudiante en musicologie, qui a bien voulu nous faire part de son emploi du temps. Jackie est une personne exceptionnelle : cette semaine, par exemple, elle est occupée tous les soirs.

Lundi soir, Jackie ....

....

Mardi après-midi, elle ....

....

....

....

2. JUDITH RÊVE...

A. Lisez le courriel de Judith à Lucie et relevez les expressions qu'elle utilise pour exprimer ses souhaits.

B. Et vous, avez-vous envie de rompre la routine ? Qu'aimeriez-vous changer dans votre vie ?

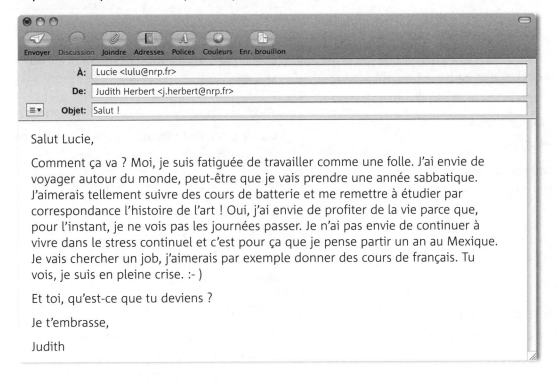

À: Lucie <lulu@nrp.fr>

De: Judith Herbert <j.herbert@nrp.fr>

Objet: Salut !

Salut Lucie,

Comment ça va ? Moi, je suis fatiguée de travailler comme une folle. J'ai envie de voyager autour du monde, peut-être que je vais prendre une année sabbatique. J'aimerais tellement suivre des cours de batterie et me remettre à étudier par correspondance l'histoire de l'art ! Oui, j'ai envie de profiter de la vie parce que, pour l'instant, je ne vois pas les journées passer. Je n'ai pas envie de continuer à vivre dans le stress continuel et c'est pour ça que je pense partir un an au Mexique. Je vais chercher un job, j'aimerais par exemple donner des cours de français. Tu vois, je suis en pleine crise. :-)

Et toi, qu'est-ce que tu deviens ?

Je t'embrasse,

Judith

3. MES ACTIVITÉS

A. Écrivez un petit texte pour expliquer quelles activités de cette liste vous pratiquez et avec quelle fréquence.

tous les jours / le matin / une fois par semaine / le mardi / le dimanche matin / quelquefois / jamais / souvent / ...

- faire du sport (du football, du ski, du vélo, du footing...)

- assister à un cours du soir

- sortir prendre un verre, aller au restaurant, aller en boîte...

- aller au cinéma, au théâtre

- naviguer sur Internet, chatter...

- se promener en forêt, à la mer, en montagne, à la campagne

B. Rappelez-vous la dernière fois que vous avez pratiqué ces activités et racontez vos impressions à l'aide des expressions ci-dessous.

ADJECTIFS

génial nul beau bien sympa pas mal émouvant passionnant intéressant ennuyeux

ADVERBES

vraiment très trop carrément drôlement super

• Quand j'ai fait du ski dans les Alpes, c'était super.
○ Je suis allé voir *Matrix* au ciné, j'ai adoré ! Il y avait plein d'effets spéciaux carrément géniaux.

....
....
....
....

4. ON SE RETROUVE AU CAFÉ ?

A. Hélène appelle Frédéric pour lui proposer d'aller au cinéma. Remettez dans l'ordre les réponses de Frédéric.

(1) Salut Frédo ! Ça va ?

(2) Ça va bien, merci. Dis... ça te dirait d'aller au ciné demain soir ?

(3) Ben, j'sais pas. Et si on allait voir une comédie ? Ça nous détendrait un peu.

(4) Ah oui ? Je n'en ai pas entendu parler mais si ça te dit... pourquoi pas ? C'est un film comique ?

(5) Ben... Tant mieux si c'est léger ! C'est exactement ce qu'il me faut !

(6) Oh, à la séance de 20 heures ?

(7) Au Royal à 20 h 15 ? Euh... Le Royal, c'est bien le cinéma qui est au coin de la rue du Range ?

(8) D'accord, on se donne rendez-vous à 19 heures 30 au café du Moulin ?

(9) D'accord, à demain, salut !

○ Volontiers ! Tu voudrais voir quoi ?

○ Ça marche : rendez-vous à 19h30 au café du Moulin

○ Ça va. Et toi ?

○ Oui, je crois. En tout cas, c'est pas une prise de tête intello. C'est plutôt léger comme film.

○ Oui, c'est ça, près du café du Moulin.

○ Un instant... Je regarde... Oui, ils le passent au Royal à 20 h 15. Ça te va ?

○ Eh bien, c'est parfait. À quelle heure tu veux y aller ?

○ À demain !

○ Ben d'accord... On pourrait peut-être voir, je sais pas moi, *Le Retour des extraterrestres au pays du soleil* par exemple.

B. Écoutez le dialogue pour vérifier.

Piste 27

C. Sur le modèle de cette conversation, imaginez un dialogue où une personne propose à l'autre de sortir, de partir quelque part en vacances et l'autre accepte ou refuse.

● .... ● .... ● ....

○ .... ○ .... ○ ....

5. SUR LE CHAT

À partir des réponses de ces internautes, imaginez quelles étaient les propositions d'origine.

---

www.toujoursconnectes.fr

Sentinelle_H. Ça te dirait d'aller au restaurant demain à 20 heures ?

Luc4. Désolé, mais c'est un peu tôt : je finis l'entraînement à 8 heures.

....

Léo71. Ben, désolé, je ne peux pas parce que je suis invité à un anniversaire.

....

Carla_B. Oh, ben ouais, ça me dit, l'idée est super !

....

PinkPanther. Allons plutôt au théâtre, ça changerait !

....

Supermark34. Volontiers, j'ai envie de me défouler !

....

JP. D'accord, on se donne rendez-vous à quelle heure ?

....

Flo_86. Désolé, je suis hyper occupé en ce moment, je ne peux pas.

---

6. CONTENTES OU PAS CONTENTES ?

Piste 28

A. Écoutez. De quoi parlent ces personnes ?
Notez le numéro du dialogue correspondant.

UNE RÉPÉTITION DE THÉÂTRE	....
UN JEU DE RÔLE	....
UN ATELIER DE TAI-CHI	....
UN SPECTACLE DE DANSE	....
UNE DISCOTHÈQUE	....

B. Réécoutez ces mini-dialogues : ces personnes sont-elles contentes ou mécontentes ?

mini-dialogues		État d'esprit	Arguments
1		• satisfaite ☐ • mécontente ☐	Elle est satisfaite parce qu'elle a ....
2		• satisfaite ☐ • mécontente ☐	
3		• satisfaite ☐ • mécontente ☐	
4		• satisfaite ☐ • mécontente ☐	
5		• satisfaite ☐ • mécontente ☐	

7. ÇA SE TROUVE OÙ ?

Complétez ces dialogues. Vos réponses doivent être cohérentes
et vous pouvez bien entendu consulter des cartes ou Internet.

○ D'habitude, les restaurants ou le théâtre sont des lieux qu'on trouve ....

● C'est vrai, alors que les zones commerciales et les multiplex se trouvent plutôt ....

○ Je ne sais jamais si Hyde Park est ..... Londres ou ..... New-York.

● Voyons ! Hyde Park se trouve ..... Londres... C'est Central Park qui se trouve .... Manhattan.

○ Tu habites .... la gare ?

● Non, la gare est .... chez moi ! C'est mon frère qui vit .... : son
appart est à deux pas de l'entrée sud.

○ Cette année, finies les vacances ..... Bretagne ! On loue un appart .... la France, du côté de Perpignan.

● Moi, c'est le contraire. Ras-le-bol de la chaleur et des masses de touristes ! On partira certainement ....
la France, ... Bretagne ou ..... Normandie.

○ Tu verras, c'est facile à trouver : le bar se trouve .... de la mairie.

● Ah d'accord, la grande place avec une statue d'un chevalier ou quelque chose comme ça, n'est-ce pas ?

○ Nous avons passé nos vacances .... L'air marin, ça change de la montagne !

● Tu m'étonnes ! Eh bien, nous, on a loué un petit appartement .... lac d'Annecy, c'était vraiment sympa.

○ Bari, c'est .... la Grèce ?

● Pas du tout, c'est .... l'Italie !

○ C'est mon premier voyage à Paris. Je crois que j'arrive à Orly-Charles-de-Gaulle.

● Attention ! Il ne faut pas confondre Orly qui se trouve .... Paris et Roissy-Charles-de-Gaulle qui
.... Ce sont deux aéroports différents.

8. QU'EST-CE QUE CES PERSONNES VONT FAIRE ?

Observez ces illustrations et dites ce qui va se passer.

1. Attention ! Ces livres vont tomber !

2. Le ciel est bien noir; ....
.... d'ici peu !

3. La voiture jaune ....
à droite au carrefour.

4. Elles ....
le dernier film de Marion Cotillard.

5. Avant de dîner, ...
un bon bain pour se détendre.

6. Pour le petit-déjeuner, ...
un pain au chocolat.

9. ON VA VOIR...

Complétez ces phrases à l'aide d'un des verbes suivants conjugués.

avoir   chercher   laver   mettre   pouvoir   rester

1. J'ai les mains sales. .... les ....

2. Quelle robe .... pour la soirée, chérie ?

3. Ne prends pas ta veste pour sortir sinon .... trop chaud.

4. Elle ne rentre pas ce soir. .... dormir chez des amis.

5. J'ai soif ! .... un bon verre d'eau fraîche !

6. C'est l'anniversaire de papa la semaine prochaine. Qu'est-ce qu' .... lui offrir ?

10. TOUS LES JEUNES FONT-ILS LES MÊMES CHOSES ?

Piste 29 **A.** Écoutez ces interviews de trois jeunes provenant de trois pays différents. Notez, dans le tableau, ce qu'ils font pendant leur temps libre.

	Quand ?	Quoi ?	Avec qui ?
1. Rebecca (Suisse)			
2. Valérie (Québec)			
3. Olivier (France)			

B. Selon vous, dans quelle mesure les facteurs socioculturels et climatiques ont-ils une influence sur les activités de loisirs pratiquées ? Écrivez un petit texte pour donner votre avis.

....

....

....

....

....

....

11. LA COURBE MÉLODIQUE DE LA PROPOSITION

Piste 30

A. Ces phrases sont des propositions.
L'intonation est-elle ascendante ou descendante ?

Si on allait au café ?

1. Dis Didier, si on allait au cinéma ?

2. Hey, Corinne, si on partait en vacances ?

3. Dis donc, si on se faisait un couscous ce soir ?

4. Tu aimerais partir en vacances avec moi ?

5. Ça te dit de prendre un mois de vacances ?

6. Ça te dirait d'aller au théâtre ?

Piste 31

B. Ces phrases sont des refus.
L'intonation monte-t-elle ou descend-elle ?

Non, désolé je ne peux pas.

1. Désolé, ce soir, j'ai du travail.

2. Non, je ne peux pas, je dois aller chez ma grand-mère.

3. Non, c'est dommage, j'ai un rendez-vous chez le dentiste.

4. C'est impossible, je n'ai pas le temps.

5. Je regrette, demain, je ne suis pas libre.

6. Désolé, je dois aller faire des courses.

Piste 32

C. Écoutez maintenant ces phrases et, en fonction de l'intonation, dites s'il s'agit de propositions ou de refus.

	Proposition	Refus
1		
2		
3		
4		
5		
6		
7		
8		

12. PLURIELS D'EXCEPTION !

À partir de cette liste, classez les mots selon qu'ils suivent
la règle (A) ou pas (B). Vous écrirez leur pluriel, dans la case correspondante.

	Colonne A Pluriel en -aux	Colonne B Pluriel en -s
Bal		
Carnaval		
Récital		
Régal		
Festival		
Chacal		
Bocal		
Génial		
Principal		

antisèche

Dans le texte *Un théâtre populaire*, on parle des dizaines de festivals qui se tiennent en France. N'avait-on pas appris que les noms en **-al** font **-aux** au pluriel ? C'est vrai... mais il y a des exceptions !

En français, la règle dit que les noms et les adjectifs masculins en **-al** font **-aux** au pluriel comme : cheval > chevaux

13. CHAMPS LEXICAUX

À quels domaines associez-vous ces mots ? Regroupez-les dans une ou plusieurs des rubriques du tableau.

match coup
terrain répéter
musique peinture record but pièces
rythme courir jouer
mouvements rôle stade bar acteur réalisateur sculpture DJ danser visiter
boire équipe champion
ambiance marquer
tableau couleurs salle
film amusant

LE CINÉMA	LES MUSÉES	LE SPORT	LES SORTIES NOCTURNES

1. PIERCING ET TATOUAGES ? ÇA SE DISCUTE !

A. Lisez la transcription d'un débat radiophonique au sujet du piercing et des tatouages et ajoutez, là où ils manquent, les mots et expressions du tableau.

• en tant que	On situe une opinion à partir d'un domaine de connaissance ou d'expérience.
• d'ailleurs	On justifie, développe ou renforce l'argument ou le point de vue qui précède en apportant une précision.
• il est vrai que... mais	On reprend un argument et on ajoute une idée qui le nuance ou le contredit.
• car	On introduit une cause que l'on suppose inconnue de l'interlocuteur.
• je ne partage pas l'avis de / d'	On marque le désaccord avec l'opinion de quelqu'un.
• par conséquent	On introduit la conséquence logique de quelque chose.
• on sait que	On présente un fait ou une idée que l'on considère admis par tout le monde.

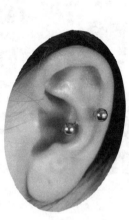

○ Présentateur : Evelyne Jamel, **en tant que** sociologue, que pensez-vous du phénomène du piercing et du tatouage chez les jeunes ?

● Evelyne Jamel : Le piercing comme le tatouage existent depuis très très longtemps dans certaines civilisations. Mais, dans notre société, ils correspondent à deux phénomènes : **d'une part**, c'est un phénomène de mode : on porte un piercing ou un tatouage pour des raisons esthétiques .... beaucoup de piercings ou de tatouages sont de faux piercings ou de faux tatouages.

○ P. : Comment ça, de faux piercings et de faux tatouages !?

● E. J. : Oui, **c'est-à-dire** qu'ils ne sont pas permanents.

○ P. : Et d'autre part ?

● E. J. : Eh bien, **d'autre part**, il s'agit d'un phénomène de contestation. C'est une façon de se révolter ou de montrer que l'on appartient à un groupe.

○ P. : Est-ce qu'il y a beaucoup de jeunes qui portent un tatouage ou un piercing ?

● E. J. : En France, 8 % des jeunes de 11 à 20 ans ont un piercing et 1 % portent un tatouage.

○ P. : Albert Lévi, qu'en pensez-vous ?

■ Albert Lévi : Bien, ... médecin, je dois mettre en garde contre les risques du piercing ou du tatouage. Un piercing au nombril avant 16 ans n'est pas du tout recommandable .... les adolescents peuvent encore grandir et la peau peut éclater. Le piercing représente .... un risque pour la santé.

○ P. : Et est-ce que les tatouages sont moins dangereux ?

■ A. L. : C'est pareil. Le matériel de tatouage doit être parfaitement désinfecté et ce n'est pas toujours le cas.

○ P. : Donc, à votre avis, est-ce que ces pratiques devraient être interdites ?

■ A. L. : **En effet**, interdire pourrait être une solution.

○ P. : Evelyne Jamel, êtes-vous d'accord ?

● E. J. : Mais non, pas du tout ! .... du docteur Lévi, **même si** ses inquiétudes par rapport à ces pratiques sont justifiées. .... le piercing ou le tatouage comportent des risques .... interdire n'est pas la solution. .... si l'on interdit à un adolescent de se faire un piercing, il s'en fera deux ! **Par contre**, les parents peuvent expliquer à leurs enfants les risques du piercing ou du tatouage et...

B. Maintenant, écoutez le débat et vérifiez vos réponses.

Piste 33

C. Avez-vous remarqué les expressions en gras dans le texte ? À quoi servent-elles ? Trouvez-vous des équivalents dans votre langue ?

2. LES RÉSEAUX SOCIAUX EN FRANCE

A. Complétez le texte avec les connecteurs suivants.

c'est-à-dire - car - d'ailleurs - d'une part - d'autre part - même si - on sait que - par conséquent - par rapport à

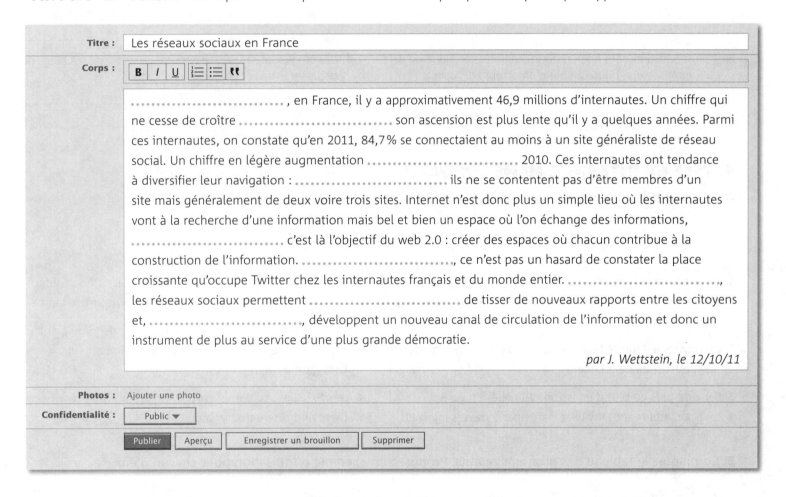

Titre : Les réseaux sociaux en France

Corps : B *I* U

.... , en France, il y a approximativement 46,9 millions d'internautes. Un chiffre qui ne cesse de croître .... son ascension est plus lente qu'il y a quelques années. Parmi ces internautes, on constate qu'en 2011, 84,7 % se connectaient au moins à un site généraliste de réseau social. Un chiffre en légère augmentation .... 2010. Ces internautes ont tendance à diversifier leur navigation : .... ils ne se contentent pas d'être membres d'un site mais généralement de deux voire trois sites. Internet n'est donc plus un simple lieu où les internautes vont à la recherche d'une information mais bel et bien un espace où l'on échange des informations, ... c'est là l'objectif du web 2.0 : créer des espaces où chacun contribue à la construction de l'information. .... , ce n'est pas un hasard de constater la place croissante qu'occupe Twitter chez les internautes français et du monde entier. .... , les réseaux sociaux permettent .... de tisser de nouveaux rapports entre les citoyens et, ... , développent un nouveau canal de circulation de l'information et donc un instrument de plus au service d'une plus grande démocratie.

par J. Wettstein, le 12/10/11

Photos : Ajouter une photo

Confidentialité : Public ▼

Publier   Aperçu   Enregistrer un brouillon   Supprimer

B. Twittez votre réaction à ce texte.

3. UN MONDE EN RÉSEAU

Combinez les deux phrases proposées en une seule en utilisant le pronom relatif **dont**.

J'ai un ami. Son compte Twitter est suivi par des milliers de personnes !
J'ai un ami dont le compte Twitter est suivi par des milliers de personnes !

1. La critique a très bien parlé de ce film. J'ai vu des extraits de ce film sur Internet.

....

....

2. J'ai un ami. Son père a fait le tour du monde en ligne parce qu'il était sur une photo à côté d'un acteur très connu.

....

....

3. Ce journaliste présente une émission sur la 2. Le site Internet de ce journaliste est l'un des plus visités de France.

....

....

4. Des blogs sont saturés. Le nombre de visites de ces blogs peut dépasser le millier en quelques secondes.

....

....

4. TÉLÉ OU INTERNET, MÊME COMBAT ?

A. Complétez les phrases suivantes en utilisant le pronom relatif qui convient.

qui - que - dont - où

1. Nous en avons assez des gens .... nous critiquent parce que nous consultons une encyclopédie en ligne plutôt que celles en papier.

2. En France, le journal télévisé .... les Français regardent le plus, c'est celui de 20 heures.

3. Il y a de plus en plus d'émissions à la télé .... les téléspectateurs sont invités à participer à travers Internet.

4. Souvent, on se demande comment on faisait pour obtenir des informations à l'époque .... Internet n'existait pas.

5. Avant, les enfants .... Marie-Laure gardait voulaient regarder la télé ; maintenant, ils se précipitent sur l'ordinateur.

6. Le site .... tu parles est très intéressant pour suivre toute l'actualité cinématographique.

B. Complétez le tableau des pronoms relatifs. Proposez un exemple d'utilisation pour chacun d'eux.

Pour remplacer...	On utilise le pronom relatif...	Exemples
un mot sujet		-
un mot COD		-
un mot complément de lieu		-
un mot complément de temps		-
un mot COI*		-
un complément du nom*		-
un complément de l'adjectif*		-

* Tous ces compléments sont introduits par *de*.

C. À votre tour, écrivez cinq phrases sur Internet ou sur la télévision en utilisant des pronoms relatifs simples.

5. INFINITIF, INDICATIF OU SUBJONCTIF ?

A. Complétez ces phrases en cochant la case qui convient.

1. Je souhaite

☐ que tu réussisses tes examens.

☐ que tu réussis tes examens.

2. Il aimerait

☐ que nous participions à sa fête.

☐ que nous participons à sa fête.

3. Il est possible

☐ que les enfants restent à la maison.

☐ que les enfants restaient à la maison.

4. Je ne crois pas

☐ que je puisse venir.

☐ pouvoir venir.

5. Je suis sûr

☐ que tu viennes.

☐ que tu viendras.

6. Je ne pense pas

☐ que vous connaissiez cette personne.

☐ que vous connaissez cette personne.

B. Relisez ces phrases (activité A) puis complétez le tableau pour vérifier vos connaissances sur le subjonctif.

	Vrai	Faux
On forme le subjonctif à partir de l'impératif.		
En règle générale, on utilise la 3e personne du pluriel de l'indicatif présent pour former le subjonctif (sauf pour *nous* et *vous*).		
Il n'y a pas de verbes irréguliers au subjonctif.		
En règle générale, aux 1re et 2e personnes du subjonctif, on utilise les formes de l'imparfait.		
Après les verbes d'opinion (*Je pense que*, *Je crois que*, etc.), on utilise systématiquement le subjonctif.		
Si le sujet de la proposition subordonnée est le même que celui de la principale, on utilise l'infinitif.		
Dans les phrases subordonnées introduites par un verbe qui exprime l'obligation, la possibilité, le souhait, on emploie le subjonctif.		

6. NOUVELLES TECHNOLOGIES AU QUOTIDIEN

Complétez ces phrases à l'aide des verbes suivants conjugués.

aller	avoir	être	falloir
pouvoir	savoir		vouloir

1. Avant de participer à un forum sur Internet,
il faut que vous .... qu'il y a quelques règles
de « bon comportement » à suivre.

2. Ce n'est pas la peine que tu .... sur ce site,
tu n'y trouveras rien d'intéressant.

3. Avec les nouvelles technologies, on peut vous retrouver où que vous
....

4. On ne peut pas inscrire une personne à un bulletin électronique
sans l'en informer, il faut que cette personne .... bien
y être inscrite.

5. Qu'il .... Internet à la maison
pour les démarches administratives ou les études
est une évidence que plus personne ne discute.

6. Il y a tellement d'informations en ligne qu'il faut que nous
.... une grande capacité de compréhension et d'analyse pour
qu'on ne .... pas nous tromper.

7. PAS D'ACCORD !

Mettez la première partie de la phrase à la forme négative et effectuez les changements nécessaires dans le reste de la phrase.

+ Je suis sûr que cette émission sera diffusée à une heure de grande audience.
− Je ne suis pas sûr que cette émission soit diffusée...

1. + Les internautes pensent qu'il faut augmenter la publicité sur les sites de presse.
− ....

2. + La direction croit qu'il faut supprimer les émissions qui n'ont pas beaucoup d'audience.
− ....

3. + Je suis certain qu'on pourra faire toutes les démarches en ligne.
− ....

4. + Je suis sûr que tu trouveras la réponse sur Internet.
− ....

5. + J'ai l'impression que les gens en ont assez des réseaux sociaux.
− ....

8. D'ACCORD OU PAS D'ACCORD ?

Piste 34

Écoutez chaque opinion et la réaction qu'elle provoque. Écrivez les expressions utilisées dans le tableau puis cochez la case qui convient selon qu'elles expriment l'accord ou le désaccord.

Opinion	Expression employée	Accord	Désaccord
1.	Absolument	X	
2.			
3.			
4.			
5.			
6.			
7.			

9. RÉAGIR À UNE OPINION

Quand on réagit à une opinion, on peut exprimer son accord, son désaccord ou émettre des doutes. Observez les expressions de la liste et indiquez d'une croix ce que chacune exprime.

	Accord	Désaccord	Doute
Vous croyez ?			
Tout à fait !			
C'est possible.			
Certainement !			
Je n'en suis pas si sûr.			
Personnellement, je n'y crois pas.			
C'est évident !			
C'est clair !			

	Accord	Désaccord	Doute
Bien entendu !			
Mais pas du tout !			
Sans doute...			
Sans aucun doute.			
Je suis franchement opposé à cette idée.			
Pourquoi pas, mais...			
Absolument.			
Il faut voir...			

antisèche

En français, on prend souvent « des gants » pour s'opposer à l'opinion de quelqu'un dans un débat. On préfère exprimer un doute pour ensuite avancer des arguments qui contredisent les affirmations de l'autre plutôt que de s'y opposer directement. C'est sans doute l'art de la diplomatie française !

10. NE RESTEZ PAS SANS BOUGER ! RÉAGISSEZ !

Réagissez à l'un des principaux titres de presse de la semaine dans un article que vous pourrez publier en ligne. Vous pouvez aussi préparer un exposé (2 minutes) que vous enregistrerez et remettrez à votre professeur.

JOURNAL CAMPUS

On ne zappe plus, on regarde la télé à la carte sur Internet.

Le Monde

3 000 euros d'amende pour un jeune internaute qui téléchargeait des films et de la musique.

Wifi gratuit dans les espaces publics : le tribunal a dit NON !

11. INDICATIF OU SUBJONCTIF ?

Piste 35

Écoutez ces verbes conjugués et indiquez s'ils sont à l'indicatif ou au subjonctif.

	Indicatif	Subjonctif
1		
2		
3		
4		
5		
6		
7		
8		
9		
10		

vos stratégies

Sauf pour les verbes en **-er,** pour savoir à l'oral si un verbe est à l'indicatif ou au subjonctif, il faut bien écouter le contexte et être attentif aux terminaisons entendues :

Terminaison vocalique > indicatif
Terminaison consonantique > subjonctif

FINIR (INDICATIF)

je finis [fini]
tu finis [fini]
il finit [fini]
nous finissons [finisɔ]
vous finissez [finise]
ils finissent [finis]

FINIR (SUBJONCTIF)

que je finisse [finis]
que tu finisses [finis]
qu'il finisse [finis]
que nous finissions [finisjɔ]
que vous finissiez [finisje]
qu'ils finissent [finis]

12. EST – AIT – AILLE

Piste 36

Écoutez ces phrases et indiquez si vous entendez **est** (être), **ait** (avoir) ou **aille** (aller).

	EST	AIT	AILLE
1			
2			
3			
4			
5			
6			
7			
8			
9			
10			

Lundi 10 septembre

AIT-EST-AILLE

Je n'arrive pas à croire qu'il ait pu faire ça ! Maintenant, il est fait comme un rat ! Où qu'il aille cette histoire le suivra...

13. COMPRENDRE POUR RELIER LES IDÉES

Lisez ces extraits de presse et observez les mots soulignés. Il est possible que vous ne les connaissiez pas mais, à l'aide du contexte, remplacez-les par d'autres que vous avez vus dans cette unité.

ÉCONOMIE

La crise risque de remettre en cause des acquis sociaux dans le domaine de la santé. <u>Quant au</u> pouvoir d'achat, si les salaires n'augmentent pas, il continuera de baisser.

INTERNET

Ce professeur est intervenu <u>comme</u> expert en sciences de l'informatique.

SOCIÉTÉ

Les ordinateurs continuent à être chers, <u>néanmoins</u> on constate que même les pays les plus défavorisés accèdent de plus en plus facilement à Internet.

5 | INTERNATIONAL

Politique internationale

Internet contribue à la diffusion des idées. On peut <u>donc</u> craindre que des dictateurs cherchent à contrôler ce canal de communication.

- quant au : ....
- comme : ....

- néanmoins.............................
- donc : ....

14. DANS VOTRE LANGUE ?

Reprenez les expressions qui permettent d'organiser le débat (**Précis de grammaire**, p. 73) et proposez-en une traduction.

vos stratégies

N'oubliez pas que, pour traduire un mot, une expression, une phrase…, vous devez le faire en respectant le contexte. C'est celui-ci qui donne du sens et permet d'éviter les contresens.

5 PORTRAITS CROISÉS

1. DANS L'IDÉAL...

A. Complétez ce test de personnalité.

http://www.monpartenaireideal.fr

Comment serait votre partenaire idéal ?

Si vous pouviez le fabriquer « sur mesure », comment serait-il ?
Grâce à ce test, découvrez le profil de votre partenaire idéal.

1 Quelle serait la couleur de ses cheveux ?

a. roux avec des mèches bleues .... ✦
b. châtains, blonds ou bruns .... ■
c. aucune importance .... ●

2 Il porterait...

a. des lunettes rondes .... ✦
b. des lunettes vertes .... ■
c. pas de lunettes .... ●

3 Où le rencontreriez-vous ?

a. dans un hôtel 3 étoiles .... ✦
b. dans un centre de méditation .... ■
c. sur une plage tropicale .... ●

4 Quel métier ferait-il ?

a. jardinier .... ✦
b. grand reporter pour un magazine d'aventure ... ■
c. conseiller en image .... ●

5 Quel cadeau vous offrirait-t-il ?

a. un hamac .... ✦
b. une montre en or .... ■
c. un vélo tout terrain .... ●

6 Sa plus grande qualité serait d'être...

a. généreux/se .... ✦
b. fidèle .... ■
c. perspicace .... ●

7 Son pire défaut serait d'être...

a. menteur/euse .... ✦
b. gaspilleur/euse .... ■
c. rancunier/ère .... ●

8 S'il aimait danser, sa musique préférée serait...

a. le tango .... ✦
b. la salsa .... ■
c. la musique techno .... ●

9 S'il jouait d'un instrument, il jouerait...

a. de la batterie .... ✦
b. du piano .... ■
c. de la harpe .... ●

10 Son passe-temps favori serait...

a. la lecture .... ✦
b. les échecs .... ■
c. le parachutisme .... ●

Si vous avez un maximum de ✦ :
Votre partenaire idéal aurait un goût pour l'ordre et serait très détailliste. Il n'admettrait pas la moindre erreur et serait d'une grande ponctualité. Il aurait un goût pour le luxe et serait très entreprenant, un peu battant. La personne serait très douée pour les relations publiques. Le travail et la famille seraient les points forts de votre relation.

Si vous avez un maximum de ■ :
Votre partenaire idéal serait un peu intellectuel, avec un goût poussé pour l'aventure et les pays exotiques. Il aurait le sens de l'honneur et serait peut-être un peu possessif. Mais il ne manquerait pas de charme et de fantaisie. Comme vous, votre ami(e) accorderait une grande importance aux loisirs.

Si vous avez un maximum de ● :
Le partenaire idéal pour vous serait quelqu'un d'original et alternatif, attiré par le monde mystique et la philosophie. Il aimerait tout ce qui ne ressemble pas à la routine et serait rebelle et épris de liberté. Il militerait dans les ONG et voterait écologiste. Son look serait raffiné sans être snob. Il serait parfois intransigeant mais toujours tendre.

B. Après avoir lu les résultats du test, que changeriez-vous au portrait de votre petit ami idéal ? Écrivez un petit texte pour compléter son portrait.

2. AVEC DES SI... !

A. Voici trois récits hypothétiques. En vous aidant du premier, conjuguez les verbes des deux autres aux temps qui conviennent. Pour le dernier, c'est à vous de choisir des verbes cohérents.

Si j'étais un fantôme, je **passerais** à travers les murs et j'**observerais** la vie de mes voisins. Je **dormirais** le jour et je **voyagerais** la nuit **dans** des pays à quatre dimensions. Je **jouerais** à faire peur aux bandits qui pénètrent dans les maisons et j'**apparaîtrais** sur les écrans de télévision au moment des informations. Je **terroriserais** les enfants et j'**entrerais** gratuitement dans les cinémas et les théâtres.

Si nous étions des animaux, nous .... sous la terre l'hiver et, au printemps, nous .... de notre abri pour respirer l'odeur des fleurs. Nous .... des ailes pour voler, des pattes pour courir et des nageoires pour nager. Nous .... grands comme l'éléphant, agiles comme le guépard et malins comme le renard. Nous .... de nous trouver parmi les hommes.

Si j'étais magicien, je .... **(transformer)** les forêts en rivières et les rivières en océans. Je .... **(prendre)** une cape invisible et je me .... **(mettre)** dedans. Je .... **(aller)** au pays des sorcières, et je .... **(faire)** une grande fête dans un château pour tous les magiciens du monde.

B. Et vous, si vous n'étiez pas un être humain, qu'aimeriez-vous être ? Que feriez-vous ?

3. TU OU VOUS ?

A. À quelles situations correspondent ces phrases ? Placez le numéro du dialogue dans la bulle correspondante.

1
- Bien, alors vous comprenez ? La formule est simple.
- Euh, excusez-nous, madame, mais est-ce que vous pourriez répéter la description de la formule, s'il vous plaît ?

2
- Bonjour madame Legrand, vous allez bien ?
- Oui, Marie-Laure. Et vous ?
- Oh, très bien, merci. Cela faisait longtemps... Si vous voulez, venez prendre le dessert demain avec nous, je fais une tarte aux fraises.

3
- Volontiers, c'est très gentil de votre part.
- Alors qu'est-ce que tu veux ?
- Je voudrais une glace à la vanille, s'il te plaît.
- Tu es sûr ?
- Oui, maman.

4
- Alors comme ça, vous avez fait des études de lettres ?
- Oui, après mon bac, j'ai fait philo à Nanterre. Mais j'ai aussi fait deux ans de commerce.
- Bien, et avez-vous une expérience professionnelle dans l'édition ?

5
- Tiens, Robert ! Comment allez-vous ?
- Très bien et vous ? Cela faisait longtemps qu'on ne s'était pas vus, dites donc. J'ai appris pour le marché du Japon. Félicitations !
- Je vous en prie. C'est le travail de toute une équipe.

6
- Sandrine, ça te dirait de m'accompagner en Italie pour les vacances ?
- En Italie ? J'en rêve ! Et on irait tous... tous les deux ? Seulement toi et moi ?

7
- Tu es prêt ? Il est où, ton vélo ? Julie nous attend.
- Désolé, mais je préfère rester chez moi. Et puis, Julie, c'est toi qu'elle attend !
- Enfin voyons, ne sois pas ridicule ! Viens donc !

8
- Bonjour, Bertrand, alors ces ventes ?
- Eh bien, Monsieur le Directeur... ce n'est pas brillant... en effet...
- Comment ça, Bertrand ? Vous n'allez tout de même pas me dire que le marché s'effondre !!!???
- Vous savez... C'est un marché difficile en ce moment...

B. Indiquez pour chacune des situations pourquoi les personnes se tutoient ou se vouvoient.

Dialogue nº	Tutoiement (T) ou vouvoiement (V)	Justification	Dans ma langue, on tutoierait (T) ou on vouvoierait (V)
1			
2			
3			
4			
5			
6			
7			
8			

4. IL A LE PROFIL POUR...

A. Complétez ces conseils pour avoir la « gueule de l'emploi », c'est-à-dire correspondre au profil recherché pour un emploi.

Pour être un bon diplomate : Il faut avoir *du* sang-froid et le sens .... courtoisie. Il est nécessaire d'avoir .... patience et de ne pas toujours dire ce qu'on pense. Il vaut mieux ne pas manquer .... tact.

Pour être un parfait séducteur : Il faut avoir le sens .... conquête. Il ne faut pas manquer .... audace. Il est préférable d'avoir .... charme.

Pour être un bon chercheur scientifique :
Il faut avoir le goût .... découverte. Il est recommandé d'avoir .... rigueur. Il est préférable d'avoir .... persévérance.

Pour être un sportif de haut niveau :
Il faut avoir le goût .... effort. Il ne faut pas manquer .... discipline. Il vaut mieux avoir .... courage.

B. Retrouvez dans ces textes des formes équivalentes de ces qualités personnelles et professionnelles.

- Être patient = *avoir de la patience*
- Être rigoureux = ...
- Être audacieux = ...
- Être persévérant = ...
- Être charmant = ...
- Être discipliné = ...
- Être courageux = ...

C. Maintenant, complétez ces fiches à l'aide des qualités qui, à votre avis, sont nécessaires...

Pour être vendeur dans une animalerie, il faut :
Être ....
Avoir ....
Ne pas avoir ....
Aimer ....
Savoir ....

Pour être psychologue pour enfants, il faut :
Être ....
Avoir ....
Ne pas avoir ....
Aimer ....
Savoir ....

5. LE NOUVEAU COLLÈGUE DE BUREAU

A. Karen et Nathalie travaillent dans la même entreprise. Avant d'écouter leur conversation, classez les mots ci-dessous selon qu'ils expriment une caractéristique positive ou négative.

arrogant / séducteur / sens de l'humour / responsable / travailleur / étourdi / sympa / prétentieux charmant / poli / sale / caractère / malpoli / irresponsable / paresseux / créatif / sens du contact

Positif	
Négatif	

Piste 37

B. Maintenant, écoutez leur conversation et entourez, dans votre tableau, les caractéristiques qu'elles associent à la personnalité d'Éric.

C. À votre avis, quel poste de travail pourrait occuper Éric ? Aimeriez-vous travailler avec lui ?

Je pense que... ....

J'aimerais bien... / Je n'aimerais vraiment pas......................

....

6. PETITES ANNONCES

A. Lisez ces annonces et complétez-les avec les éléments qui se trouvent ci-dessous.

de petite taille (1,60 m maximum) / le sens du relationnel / un rire très communicatif / une jolie voix / le sens de l'humour / un excellent contact avec les enfants / d'autorité / une excellente prononciation / la littérature

---

http://www.offres-emploi.com

Candidat Employeur

Réf. 243235 - Lectrice

Urgent ! Personne malvoyante cherche une lectrice pour lui faire la lecture et rédiger du courrier. Être disponible entre 5 et 9 heures par semaine.
Profil recherché : vous avez ....
et ....
Vous aimez ....

Réf. 243236 - Hôte / Hôtesse

Vous porterez le costume d'un personnage de dessin animé, sympathique et de petite taille (Mickey, lutins, nains) pour distraire enfants entre 1 et 4 ans.
Profil recherché : vous avez ....
et ....
Vous aimez ....

Réf. 243237 - Rieur / Rieuse professionnel(le)

Directeur de théâtre cherche personnes pour déclencher les rires des spectateurs.
Profil recherché : vous avez ....
et ....
Vous aimez ....

Réf. 243238 - Veilleur de nuit

Dans un camping, vous veillez au bon déroulement des soirées et vous faites respecter le calme. Vous surveillez les entrées et les sorties des clients.
Profil recherché : sérieux 20/22 ans ou plus. Anglais courant, espagnol exigé. Vous êtes sympathique mais ne manquez pas ....
Vous avez ....

B. Écoutez maintenant le parcours professionnel d'Hélène Rocher et donnez la référence de l'annonce qui pourrait l'intéresser.

Piste 38

C. Complétez à présent sa fiche avec le plus de renseignements possibles.

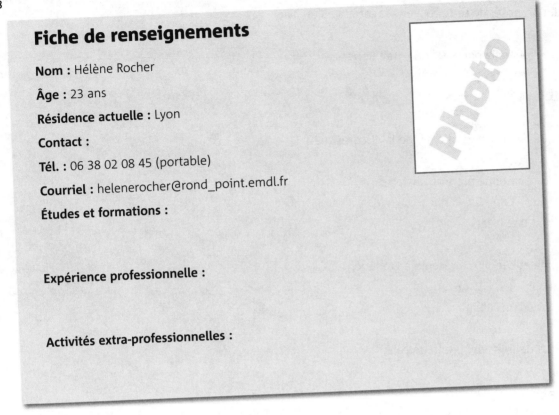

Fiche de renseignements

Nom : Hélène Rocher

Âge : 23 ans

Résidence actuelle : Lyon

Contact :

Tél. : 06 38 02 08 45 (portable)

Courriel : helenerocher@rond_point.emdl.fr

Études et formations :

Expérience professionnelle :

Activités extra-professionnelles :

Photo

7. LUI OU LE ?

Trouvez **de qui ou à qui on parle**. Parfois, plusieurs réponses sont possibles.

1. Tu lui as dit quoi au téléphone ?

☐ au collaborateur
☐ aux fournisseurs
☐ à la cliente

2. Vous la trouvez comment ?

☐ le nouveau collègue
☐ la nouvelle vendeuse
☐ les nouveaux partenaires

3. Tu lui as dit de venir à quelle heure ?

☐ au nouveau fournisseur
☐ aux représentants de la marque
☐ à note nouvelle déléguée

4. Oui, il l'a obtenu avec mention « bien ».

☐ sa licence
☐ ses examens de fin d'études
☐ son bac

5. On ne l'a pas encore prévenu ?.

☐ le directeur
☐ la responsable de communication
☐ les abonnés

6. Bien sûr qu'ils les ont reçus !

☐ les lettres d'avertissement
☐ les courriels de relance
☐ les candidatures

7. Non, je ne l'ai pas prise !

☐ l'ordinateur
☐ la clé
☐ le portable

8. Elle lui a parlé franchement.

☐ à ses employés
☐ à son chef
☐ à sa comptable

9. Je les ai rencontrées pour l'entretien d'embauche.

☐ les personnes sélectionnées
☐ les candidats retenus
☐ la candidate au poste de direction commercial

8. ON SORT CE SOIR ?

A. Frédéric aimerait sortir en boîte avec une amie. Voici, dans le désordre, une partie du récit de la soirée. Placez ces phrases dans un ordre cohérent puis complétez-les avec le pronom **COD** ou **COI** qui convient.

| 1 | Il lui téléphone pour lui proposer de se retrouver à la terrasse d'un café.

| | À l'entrée, le portier .... ouvre la porte et .... fait entrer.

| | Celle-ci .... invite à danser.

| | Elle .... dit d'accord et ils prennent le chemin de la discothèque.

| | Elle .... propose de s'asseoir et de prendre un verre.

| | Elle arrive et elle .... fait une bise.

| | Elle rencontre une copine et elle .... présente à Frédéric.

| | Il .... attend à la terrasse d'un café.

| | Il .... commande un jus de fruit. Lui, prend un café.

| | Il .... demande si elle veut aller danser.

| | Il .... offre une fleur.

B. Imaginez la suite et fin de cette histoire.

9. DES PRONOMS DANS TOUS LEURS ÉTATS !

Complétez ces phrases à l'aide du ou des pronoms qui conviennent.

1. Tu vois le livre qui est sur la table ? Passe ...., s'il te plaît !

2. Qu'est-ce qui s'est passé ? Raconte .... tout !

3. Ils n'ont encore pu le faire mais donne .... le temps de terminer.

4. Allez les enfants, on va traverser ! Donnez .... la main !

5. Je n'entends rien de ce qu'il dit ! Dis .... de parler plus fort, s'il te plaît !

6. C'est à qui ce téléphone ? À ton frère ? Tiens, donne .... !

7. Je ne sais pas à qui est cette veste mais en tout cas, ne .... prends pas si ce n'est pas la tienne.

8. Voilà le concierge, dis .... que tu as trouvé des clés mais ne .... donne pas !
   Je .... connais : il va .... perdre ! Laisse .... plutôt ton numéro de téléphone. Les gens
   .... appelleront.

9. Je sais qu'elles sont belles, mes chaussures ! C'est ma tata qui .... a achetées.

10. FRED EST AMOUREUX !

Complétez ce courriel de Fred à son amie Isabelle avec les pronoms qui conviennent.

À: Isabelle <isa@nrp.com>

De: Fred <fredo@nrp.fr>

Objet: Salut !

Salut Isa,

Tu ne devineras jamais ce qui m'est arrivé : je sors avec une fille ! Oui, je l'ai rencontrée au basket. Elle est venue à l'entraînement un jour, je .... ai vue et on a tout de suite sympathisé. Je .... ai expliqué comment fonctionnait le club et elle .... a posé plein de questions. Puis on a commencé à se donner rendez-vous pour aller au ciné, au bowling, faire les boutiques. C'est sublime de trouver quelqu'un qui .... comprend comme ça. En plus, elle a un frère très sympa qui est plus âgé et qui a une voiture. Alors, il .... emmène en boîte et il .... invite au restaurant. Il est vraiment très gentil. L'autre jour, il .... a offert un livre ! Je .... le présenterai, tu verras, il .... plaira peut-être... Qui sait ?

Et toi ? Vas-y, raconte ! Au fait, ça se passe bien avec ta colocataire ? Tu .... as parlé de notre soirée crêpes ? Je .... invite toutes les deux bien sûr à mon anniversaire.

Je .... laisse, j'ai du travail ! J'ai un examen de français après-demain !

À bientôt

Je ..... embrasse

Fred

11. CES *E* QUI TOMBENT... !

Piste 39

A. Écoutez cette conversation entre Carine et sa sœur Sylvie, tout en en lisant la transcription de l'enregistrement. Dites ce que vous remarquez par rapport aux mots en gras.

- ● Tu **me le** prêtes, ton mp3 ?
- ○ Non, **je ne te le** prêterai pas !
- ● Pourquoi ça ?
- ○ Parce que tu vas **me le** perdre ! **Je te** connais !
- ● Eh bien, si tu **ne me le** prêtes pas, je vais **le** dire à maman !
- ○ Oh là là ! Bon, si tu **le** lui dis, je dirai ce que tu as fait **ce** week-end !
- ● Écoute bien, si **je me** fais punir par ta faute, **je ne te** parle plus !
- ○ Génial ! Ça **me fera** des vacances !

Je constate que les mots en gras contiennent tous .... et que ce ...... tombe très souvent : c'est l'élision du ... . Ce phénomène est plus fréquent dans le .... de la France que dans le .... Cependant, on peut dire qu'il dépend aussi du registre. Ce qui important, c'est d'être sensible à la réalité du français.

B. Maintenant, réécoutez cette conversation et barrez les **e** que l'on n'entend pas.

C. À partir de la règle que vous venez d'énoncer, barrez dans les phrases ci-dessous les **e** que de nombreux locuteurs francophones ne prononcent pas.

1. Il a l'air bien, ce livre. Je peux te le prendre ?

2. Je crois que tu te trompes.

3. Je vois bien que vous ne le comprenez pas.

4. Il est beau, ce stylo. Tu me le donnes ?

5. Les films, tu les regardes comment ? En VO ?

6. Son frère ? Je le vois tous les jours à l'arrêt de bus.

Piste 40

D. Maintenant, écoutez l'enregistrement et vérifiez.

12. LE / LES / L'AI / L'EST

Complétez ces phrases à l'aide de la forme correcte.

> le / les / l'ai / l'est

1. Je .... croisé dans la rue.

2. Ses médicaments ? Il doit .... prendre avec de l'eau.

3. Content ? Oui, il .... , je crois.

4. Tu .... veux avec ou sans sucre, ton café ?

5. Mon portable ? T'inquiète ! Je .... mis dans mon sac.

6. Vous .... prenez à quelle heure, votre train ?

7. Surtout, tu .... fais bouillir.

8. Si elle est avec lui, c'est qu'elle est heureuse. Mais ....-elle vraiment ?

13. L'EUROPASS EN FRANÇAIS

Piste 41

A. Écoutez cette interview d'un expert européen qui explique ce qu'est l'*Europass*. Puis, rédigez une petite présentation de cette initiative européenne.

....

....

....

B. Téléchargez le modèle français de l'*Europass* et complétez-le selon votre profil. Vous pouvez le retrouver sur le site officiel de l'Union Européenne.

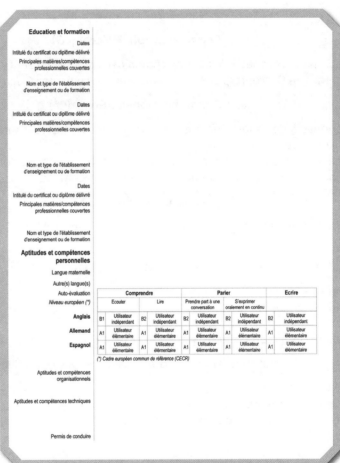

14. LA LETTRE DE CANDIDATURE

A. À votre avis, pourquoi continue-t-on de demander des lettres manuscrites dans les offres d'emploi ?

B. Reprenez une des offres d'emploi du **Livre de l'élève** et rédigez une lettre de candidature pour le poste.

DELF B1

Dans ces pages, vous allez vous préparer au **Diplôme d'Études de Langue Française niveau B1**. À ce niveau, vous êtes considéré comme un utilisateur indépendant. Vous êtes maintenant capable de poursuivre une interaction : vous pouvez comprendre, poursuivre une discussion et donner votre avis. Vous êtes également capable de vous débrouiller dans des situations imprévues de la vie quotidienne. Pour commencer, nous allons faire connaissance avec les différentes épreuves qui composent l'examen, leur durée et le barème de notation.

Nature des épreuves : B1	Durée	Note sur
Compréhension de l'oral (CO)		
Réponse à des questionnaires de compréhension portant sur trois documents enregistrés (2 écoutes). Durée maximale des documents : 6 min	0 h 25 environ	/ 25
Compréhension des écrits (CE)		
Réponse à des questionnaires de compréhension portant sur deux documents écrits : - dégager des informations utiles par rapport à une tâche donnée; - analyser le contenu d'un document d'intérêt général.	0 h 35	/ 25
Production écrite (PE)		
Expression d'une attitude personnelle sur un thème général (essai, courrier, article…).	0 h 45	/ 25
Production orale (PO)		
Épreuve en trois parties : - entretien dirigé; - exercice en interaction; - expression d'un point de vue à partir d'un document déclencheur.	0 h 15 environ préparation : 0 h 10 (ne concerne que la 3e partie de l'épreuve)	/ 25
Notation et durée totale des épreuves collectives		
* Note totale sur 100. * Seuil de réussite pour l'obtention du diplôme : 50/100 * Note minimale requise par épreuve : 5/25	Durée totale des épreuves collectives: 1 heure 45	/ 100

Le DELF B1. Compréhension de l'oral (CO)

Vous allez entendre trois documents sonores qui correspondent à des situations différentes.
Pour le premier et le deuxième document, vous aurez :
✓ 30 secondes pour lire les questions ;
✓ une première écoute, puis 30 secondes de pause pour commencer à répondre aux questions ;
✓ une deuxième écoute, puis 1 minute de pause pour compléter vos réponses.
Pour le troisième, vous aurez tout d'abord 1 minute pour lire les questions, puis vous entendrez deux fois l'enregistrement avec une pause de 3 minutes entre les deux écoutes. Après la deuxième écoute, vous aurez encore 2 minutes pour compléter vos réponses.

Répondez aux questions, en cochant (☒) la bonne réponse ou en écrivant l'information demandée.

CO-1

Piste 42 **A.** Ce document présente

▨ quelqu'un qui annonce un examen de français.

▨ quelqu'un en train de faire l'évaluation annuelle de français.

▨ quelqu'un qui explique comment s'organisent les examens trimestriels.

B. L'examen aura lieu

▨ à 13 heures le mercredi 9.

▨ à 11 heures le mercredi 12.

▨ entre 9 et 11 heures le mercredi 13.

C. La rédaction devra contenir

▨ 160 mots.

▨ 120 mots.

▨ 80 mots.

D. L'examen portera sur

▨ une lecture récente qui a marqué les élèves.

▨ une invention récente qui a marqué les élèves.

▨ un film récent qui a marqué les élèves.

E. L'examen portera aussi sur

▨ les pronoms.

▨ différents points de grammaire.

▨ les verbes irréguliers.

F. La note finale comptera pour

▨ le contrôle trimestriel.

▨ la note finale.

▨ le passage au niveau supérieur.

CO-2

Piste 43 **A.** Ce document est

▨ une annonce institutionnelle.

▨ une publicité.

▨ un reportage.

B. Ce document s'adresse

▨ aux étudiants étrangers résidant en France.

▨ aux étudiants étrangers désirant s'installer en France.

▨ à toute personne désirant s'installer en France.

C. *Un Pont vers la France* **est une association française.**

▨ Vrai.

▨ Faux.

▨ On ne sait pas.

D. *Un Pont vers la France*

▨ fournit les documents pour entrer en France.

▨ accompagne les personnes intéressées dans leurs démarches.

▨ fournit les documents pour entrer en France et accompagne les personnes intéressées dans leurs démarches.

E. Comment peut-on en savoir plus sur *Un Pont vers la France* ?

▨ en se rendant sur le site de l'association.

▨ en téléphonant au numéro indiqué.

▨ On ne sait pas.

CO-3

Piste 44 **A.** Ce document traite une question

☐ de politique internationale.   ☐ socio-économique.   ☐ culturelle.

B. Le reportage a été réalisé

☐ en été.   ☐ en automne.   ☐ en hiver.

C. Julie, la personne qui témoigne de sa situation, vit

☐ chez sa famille.

☐ dans la rue.

☐ dans les locaux de l'association d'aide aux chômeurs.

D. Julie a perdu son emploi parce que son contrat n'a pas été renouvelé.

☐ Vrai.   ☐ Faux.   ☐ On ne sait pas.

E. Répondez aux questions.

1. Combien d'employés de l'entreprise où travaillait Julie ont été, eux aussi, touchés par la même mesure ?

....

2. Avant quelle décision d'entreprise s'est produite cette mesure ?

....

F. L'association où se rend Julie s'appelle *Soutien aux chômeurs*.

☐ Vrai.   ☐ Faux.   ☐ On ne sait pas.

G. L'association fournit à ses membres

☐ un logement.

☐ un espace de rencontre et de travail.

☐ un lieu où manger et se rencontrer.

H. L'association permet que ses membres utilisent son adresse et son numéro de téléphone.

☐ Vrai.

☐ Faux.

☐ On ne sait pas.

I. Les associations de chômeurs espèrent une revalorisation de

☐ de la prime de Noël.

☐ des allocations.

☐ du Revenu de Solidarité Active (RSA).

J. Quel est le montant de la prime revendiquée par les associations de chômeurs ?

....

Le DELF B1. Compréhension des écrits (CE)

Dans cette épreuve, vous allez devoir répondre à des questionnaires de compréhension portant sur deux documents écrits. Du premier document, vous allez dégager des informations utiles par rapport à une tâche donnée. Pour le deuxième, d'intérêt général, vous allez en analyser le contenu.

CE-1

Un ami veut profiter des deux mois de vacances d'été pour travailler dans un hôtel ou un restaurant (mais surtout pas un fast-food !) et ainsi améliorer son français. Il aimerait être logé. Il a déjà travaillé dans un bar la saison dernière. Il veut savoir clairement ce qu'il va gagner et il aime le travail en équipe. Voici quatre offres de Pôle emploi, l'organisme français pour l'emploi. Cochez pour chaque annonce les caractéristiques qui conviennent le mieux aux souhaits de votre ami et indiquez celle pour laquelle il devrait absolument envoyer une candidature.

	Restaurant / Hôtel	Durée du contrat	Expérience exigée	Logement	Travail en équipe	Salaire
Offre 1						
Offre 2						
Offre 3						
Offre 4						

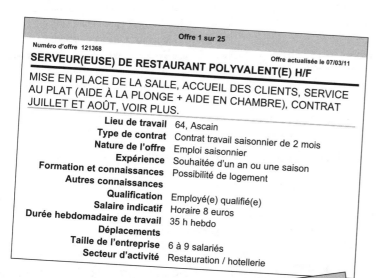

Offre 1 sur 25

Numéro d'offre 121368

Offre actualisée le 07/03/11

SERVEUR(EUSE) DE RESTAURANT POLYVALENT(E) H/F

MISE EN PLACE DE LA SALLE, ACCUEIL DES CLIENTS, SERVICE AU PLAT (AIDE À LA PLONGE + AIDE EN CHAMBRE), CONTRAT JUILLET ET AOÛT, VOIR PLUS.

Lieu de travail	64, Ascain
Type de contrat	Contrat travail saisonnier de 2 mois
Nature de l'offre	Emploi saisonnier
Expérience	Souhaitée d'un an ou une saison
Formation et connaissances	Possibilité de logement
Autres connaissances	
Qualification	Employé(e) qualifié(e)
Salaire indicatif	Horaire 8 euros
Durée hebdomadaire de travail	35 h hebdo
Déplacements	
Taille de l'entreprise	6 à 9 salariés
Secteur d'activité	Restauration / hotellerie

Offre 2 sur 25

Numéro d'offre 161168

Offre actualisée le 10/03/11

SERVEUR/SE LIMONADIER/ÈRE H/F

SERVICE AU PLATEAU. GROS WEEK-END ET TEMPS PLEIN EN SAISON (RESTAURANT TRADITIONNEL).

Lieu de travail	40, Soustons
Type de contrat	Contrat travail saisonnier de 4 mois
Nature de l'offre	Emploi saisonnier
Expérience	Exigée (1 an)
Formation et connaissances	
Autres connaissances	
Qualification	Employé(e) qualifié(e)
Salaire indicatif	À débattre
Durée hebdomadaire de travail	39 h hebdo
Déplacements	
Taille de l'entreprise	9 salariés
Secteur d'activité	Restauration

Offre 3 sur 25

Offre actualisée le 25/02/11

Numéro d'offre 161368

SERVEUR(EUSE) DE RESTAURANT H/F

2 POSTES À POURVOIR DONT UN POLYVALENT RESTAURANT/ BAR. SERVICE À L'ASSIETTE POUR L'AUTRE.

Lieu de travail	40, Vielle-Saint-Girons
Type de contrat	Contrat travail saisonnier de 3 mois
Nature de l'offre	Emploi saisonnier
Expérience	Exigée de 4 à 6 mois en saison
Formation et connaissances	
Autres connaissances	
Qualification	Employé(e) qualifié(e)
Salaire indicatif	À débattre
Durée hebdomadaire de travail	39 h hebdo
Déplacements	
Taille de l'entreprise	6 à 9 salariés
Secteur d'activité	Restauration de type rapide

Offre 4 sur 25

Numéro d'offre 161278

Offre actualisée le 02/11/11

EMPLOYÉ(E) POLYVALENT(E) DE RESTAURATION H/F

VOUS TRAVAILLEREZ JUILLET ET AOÛT DANS UN RESTAURANT. VOUS DEVEZ ÊTRE POLYVALENT(E) EN SERVICE ET MÉNAGE.

Lieu de travail	40, Cap-Breton
Type de contrat	Contrat travail saisonnier de 2 mois
Nature de l'offre	Emploi saisonnier
Expérience	Exigée d'un an en hôtellerie ou restauration
Formation et connaissances	
Autres connaissances	
Qualification	Employé qualifié
Salaire indicatif	Mensuel 1 485,34 euros (9 743,19 F) + Avantages en nature
Durée hebdomadaire de travail	39 h hebdo
Taille de l'entreprise	5 salariés
Secteur d'activité	Restauration

CE-2

Lisez le texte ci-dessous puis répondez aux questions, en cochant (☒) la bonne réponse ou en écrivant l'information demandée.

○○○

◀ ▶ ＋ http://www.lepetitjournal.com/societe-rome/71623-societe-milan.html

lepetitjournal.com   Le media des Français et francophones à l'étranger

| ACCUEIL ROME | COMMUNAUTÉ | ÉCO | SOCIÉTÉ | CULTURE | SORTIR | PRATIQUE | ARCHIVES | CONTACT | MILAN |

ROME

Les Bamboccioni, ces « gros poupons » de 20-30 ans qui vivent toujours chez leurs parents, sont nombreux en Italie.
Le phénomène Tanguy, tradition et modèle familial en Italie ?

L'Italie n'est pas le seul pays où l'on rencontre cette génération tardive, toujours chez ses parents, l'Irlande et surtout l'Espagne rivalisent avec elle. Une enquête récente dans *La Repubblica* annonce, en cette période de crise, une forte tendance chez les jeunes à ne pas quitter le domicile familial. Chez les jeunes Irlandais c'est 61 % des 20-30 ans qui restent chez leurs parents, contre 70 % pour les Italiens et 72 % pour les Espagnols. À l'inverse, les jeunes Français, surtout ceux des grandes villes, sont 35 % à rester vivre en famille, 28 % en Angleterre et seulement 18 % en Suède.

Il y a plusieurs explications au phénomène *Bamboccioni*. En Italie, comme dans les pays du sud de l'Europe, on ne bénéficie pas de protection sociale comme en Europe du Nord ; ici, pas d'allocations logement pour les étudiants ou d'aides aux personnes en recherche d'un pre-mier emploi. La durée des études en Italie est parmi les plus longues d'Europe, avec des maîtrises obtenues entre 25 et 30 ans. L'obtention des bourses est beaucoup moins répandue et plus laborieuse. Les loyers des grandes villes d'Italie sont aussi chers, voire plus, que dans les villes importantes des pays du Nord. Donc, peu de ressources pour quitter le foyer familial ce qui pénalise beaucoup les jeunes vivant dans les petites villes et, d'une façon générale, les jeunes du Sud de l'Italie où les universités sont encore moins nombreuses.

Hasard ou religion ?

Mais, si ces trois pays se retrouvent avec des chiffres similaires, ce n'est peut-être pas un hasard car, en Europe, ce sont aussi les plus ancrés dans la religion catholique, une religion où le mariage reste encore la principale raison de quitter le domicile parental. Des chiffres publiés récemment par l'**ISTAT** (Institut National de Statistiques) sur le passage à l'âge adulte confirment combien la situation des jeunes Italiens, Espagnols et Grecs est différente de celle des Britanniques et des Scandinaves : « le mariage » demeure leur principal motif pour quitter le foyer parental avec 47 % des réponses, suivi pour 28 % seulement par les « besoins d'autonomie », tandis que les « difficultés économiques » caracolent en tête des jeunes Européens pour rester confortablement chez papa-maman. Certains chercheurs soutiennent que cette importante différence entre le Nord et le Sud se trouve dans le modèle éducatif. La *mamma* italienne ou la *madre* espagnole favoriseraient-elles un certain manque d'autonomie ?

MhBonnette - www.lepetitjournal.com/milan - mardi 8 février 2011

A. Cet article a pour but de :

▨ Dénoncer les injustices économiques entre le Nord et le Sud de l'Europe.

▨ S'interroger sur un phénomène social propre au Sud de l'Europe.

▨ Remettre en cause la structure familiale dans les pays du Sud de l'Europe.

B. 1. Citez les trois pays où les 20-30 ans restent le plus longtemps chez leurs parents et indiquez le pourcentage qu'ils représentent dans cette tranche d'âge.

....

2. Citez les trois pays où les 20-30 ans restent le moins longtemps et indiquez le pourcentage qu'ils représentent par rapport à la population totale de cette tranche d'âge.

.... (%) .... (%) .... (%)

C. Sous quel nom est connu le phénomène social des *Bamboccioni* en France ?

....

D. En Italie, les 20-30 bénéficient d'aides au logement

▨ pour les étudiants.

▨ pour les chômeurs.

▨ ni pour les uns ni pour les autres.

E. En quoi le phénomène des *Bamboccioni* touche-t-il surtout les jeunes des zones rurales et du Sud ?

....

....

F. Selon l'article, quel est le principal motif de la différence entre les jeunes Européens du Nord et ceux du Sud pour s'émanciper et quitter le foyer familial ?

....

....

....

Le DELF B1. Production écrite (PE)

Dans cette épreuve, vous allez devoir donner votre avis sur un thème général. Vous devrez être capable de rédiger un article, une lettre d'opinion ou un essai.

Quelques conseils avant de commencer à écrire

Exemple de production écrite : dans le cadre d'un reportage sur les télévisions du monde, un magazine francophone demande à ses lecteurs d'écrire ce qu'ils pensent de la télévision de leur pays. Vous décidez de donner votre opinion. (160-180 mots)

Introduction

Dans mon pays, les gens aiment beaucoup regarder la télévision. Il y a un grand choix de chaînes. Certaines sont publiques, d'autres sont privées, mais sincèrement, je ne vois pas vraiment la différence parce que les émissions sont plus au moins les mêmes. Il y a aussi des chaînes spécialisées. En général, il faut payer pour pouvoir les regarder.

Évitez d'introduire votre opinion dès la première partie. Commencez plutôt par une affirmation plus générale (ici : les habitudes de vos concitoyens par rapport à la télévision).

Développement

Je trouve qu'en général, il y a trop d'émissions où les gens viennent parler de leur vie. Je ne suis pas complètement contre mais il y en a trop. Cela ne veut pas dire que je n'aime pas la télévision. Au contraire, je suis comme tout le monde et je la regarde souvent mais plutôt le soir, très tard parce qu'il y a de bons films et surtout, beaucoup moins de publicité. En revanche, les débats politiques m'ennuient énormément.

Vous exposez votre point de vue sur le sujet. Vous pouvez le nuancer, l'illustrer par des exemples, etc.

Conclusion

Je pense donc que la télévision de mon pays n'est pas pire qu'en France mais je préfère de plus en plus regarder des DVD ou naviguer sur Internet.

Elle doit être courte. Vous y résumez votre point de vue, mais vous ne développez pas une nouvelle idée.

N'oubliez pas de compter le nombre de mots et de l'indiquer à la fin de votre texte. Ici : 167 mots.

Voici quelques conseils complémentaires pour mieux vous organiser quel que soit le sujet.

- Comment exprimer votre opinion :
  Je pense que / Je crois que / c'est une excellente / mauvaise idée parce que / À mon avis
- Évitez les formes négatives parce qu'elles doivent être suivies du subjonctif !
- Comment dire si vous êtes d'accord ou pas :
  Je suis pour / Je suis contre / Je suis d'accord avec / Je ne suis pas d'accord avec ce projet parce que / Je suis favorable à / Je m'oppose à / J'approuve
- Vous pouvez renforcer votre opinion avec des adverbes ou des locutions adverbiales :
  absolument / complètement / entièrement / tout à fait / pas du tout / Je suis complètement d'accord avec

Pour bien argumenter, il faut suivre un raisonnement logique :

- On explique : parce que / car.
  Il n'aime pas les pays chauds parce qu'il ne supporte pas la chaleur.
- On oppose des arguments : mais / pourtant / au contraire.
  Nous voulons aller à la montagne, mais les enfants préfèrent aller à la plage. / J'adore la chaleur, pourtant l'été dernier j'ai vraiment souffert des températures élevées. / – Tu es fatiguée ? – Au contraire, je suis en pleine forme !
- On indique une préférence : plutôt.
  J'aime voyager en voiture ; ma femme aime plutôt l'avion.
- On insiste : surtout / avant tout.
  Il ne faut surtout pas oublier nos passeports pour nos vacances en Tunisie.
  Pour les vacances, nous voulons avant tout découvrir de nouvelles cultures.
- On n'oublie pas de conclure : donc / alors (observez bien leur place dans la phrase).
  Nous préférons donc les vacances dans les pays à climat tempéré. / Alors, nous préférons les vacances dans les pays à climat tempéré.

PE-1

Vous écrivez un article pour un magazine francophone au sujet de la situation de l'emploi dans votre pays. (160 à 180 mots)

introduction

développement

conclusion

Le DELF B1. Production de l'oral (PO)

Dans cette épreuve, vous allez devoir réaliser trois exercices différents de production orale :
• l'entretien dirigé (2 à 3 minutes);
• l'exercice en interaction (3 à 4 minutes);
• l'expression d'un point de vue (3 à 4 minutes environ + 10 minutes de préparation).

PO-1 - ENTRETIEN DIRIGÉ

Entraînez-vous avec un camarade et alternez les rôles candidat / examinateur. Vous pouvez avoir recours à la baladodiffusion et envoyer vos fichiers mp3 à votre professeur.

Conseils

Voici quelques conseils :
• N'oubliez pas de saluer l'examinateur et de le vouvoyer.
Ordonnez votre présentation (ayez en tête une fiche d'identité, par exemple). Comme on dit en français : « Ne passez pas du coq à l'âne ! ».
• Comme c'est un sujet que vous connaissez, ne vous engagez pas dans des voies sans issues : n'utilisez que le vocabulaire que vous connaissez. Ce qui veut dire qu'avant le jour de l'examen, vous devez savoir comment dire en français les choses essentielles sur vous et votre entourage, vos loisirs... Ne laissez pas l'examinateur diriger l'entretien.
• L'autocorrection est toujours très appréciée : si vous vous trompez (tout le monde se trompe !), corrigez-vous avec des phrases comme *Pardon / Excusez-moi / Je voulais dire...*
• Le professeur pourra vous interrompre pour compléter ou relancer l'entretien.
Si vous n'avez pas bien compris une question, ne vous inquiétez pas et demandez-lui de répéter.
Pouvez-vous répéter, s'il vous plaît ? / Pardon, je n'ai pas bien compris votre question...

PO-2 - EXERCICE EN INTERACTION

Au choix par tirage au sort :
Sujet 1 : Vous aimeriez partir vous installer dans un pays francophone. Vous en discutez avec un ami.
Sujet 2 : Vous avez été témoin d'un accident ou d'une scène insolite en vous rendant au travail. Vous racontez cet événement à un ami qui vous demande des détails sur les faits.

PO-3

Choisissez l'un des deux documents (le jour de l'examen, vous le tirerez au sort). Vous devez trouver le thème du document et en parler sous forme d'un exposé personnel. Vous pourrez donner votre opinion dans la conclusion (3 minutes environ). Les autres élèves de la classe ou le professeur peuvent vous poser des questions (le jour de l'examen, l'examinateur vous en posera).

Document 1

Les jeunes et les loisirs
En France, les parents ont l'habitude d'inscrire leurs enfants dans des clubs de sport dès leur plus jeune âge. Pour les filles, la danse continue à être une des activités les plus prisées, même si on a également constaté un intérêt croissant chez les garçons. Ces activités permettent aux enfants de se développer physiquement et d'apprendre à créer d'autres liens sociaux au-delà de l'école. Le problème se pose à l'adolescence quand ils commencent à ne plus vouloir aller à la piscine ou au football et préfèrent retrouver leurs copains et copines dans la rue ou dans les bars.

Document 2

Génération FB
Nous avons eu la « Génération Blog », celle des «adulescents» et leur nostalgie pour les Goldorak[1] et autres Casimir[2]. Nous voilà maintenant dans «la Génération FB». Tout le monde est sur un réseau social d'Internet, comme si tout à coup chacun s'était pris d'une incroyable envie d'exposer sa vie sur la Toile sous les regards du monde entier. N'est-on pas en train d'oublier que cette exposition permanente de nos côtés les plus intimes peut nous créer des problèmes personnels mais aussi professionnels ?

[1] Goldorak est un personnage de dessins animés japonais des années 1970-80.
[2] Casimir est le personnage d'une émission française pour les enfants dans les années 1970-80.

NOUVEAU·
ROND-POINT
PAS À PAS B1.1
LIVRE DE L'ÉLÈVE + CAHIER D'ACTIVITÉS + CD AUDIO

Auteurs : Catherine Flumian, Josiane Labascoule, Corinne Royer (pour le *Livre de l'élève*) ; Catherine Flumian, Josiane Labascoule, Philippe Liria, Corinne Royer, (pour le *Cahier d'activités*)
Conseil pédagogique et révision : Christian Puren (pour le *Livre de l'élève*) ; Yves-Alexandre Nardone (pour le *Cahier d'activités*)
Comité de lecture (pour le *Livre de l'élève*) : Agustín Garmendia, Philippe Liria, Serge Priniotakis
Coordination éditoriale : Alicia Carreras
Correction : Sarah Billecocq
Conception graphique et couverture : Besada+Cukar
Mise en page : Besada+Cukar (pour le *Livre del'élève*) ; Asensio S.C.P (pour le *Cahier d'activités*)
Illustrations : Javier Andrada et David Revilla
Remerciements : Nous tenons à remercier toutes les personnes qui ont contribué à la réalisation de ce manuel, notamment Coryse Calendini, Katia Coppola et Lucile Lacan.

© Photographies, images et textes.
Couverture : Garcia Ortega
Livre de l'élève : p. 8, 17 Cartographer/Fotolia.com, Paddler/Fotolia.com, Stephen Orsillo/Fotolia.com, Aleksandrs Gorins/Fotolia.com, David Hughes/Fotolia.com ; p. 9 Empire331/Dreamstime.com, Patrizia Tilly/Fotolia.com, Steven Pepple/Fotolia.com, WavebreakMediaMicro/Fotolia.com ; p. 10 Jason Stitt/Fotolia.com ; p. 11 Thinkstock, Moyseeva Irina/Fotolia.com, Elnur/Fotolia.com, zirconicusso/Fotolia.com, Paul Hill/Fotolia.com, auris/Fotolia.com ; p. 13 FilmMagic/Getty Images, Gamma-Rapho/Getty Images, Getty Images Europe ; p. 15 Monkey Business Images/Dreamstime.com ; p. 16 abdallahh/Flickr, Philippe Du Berger/Flickr, Hobvias Sudoneighm/Flickr ; p. 18 WireImage/Getty Images, Gamma-Rapho/Getty Images, AFP/Getty Images, Christopher Meder/Fotolia.com, Ozcan Arslan/Fotolia.com ; p. 21 ben_photos/Fotolia.com ; p. 26 *Le Hareng perd ses plumes* de San Antonio (Univers Poche), *2030 : l'Odyssée de la poisse* de Antoine Chainas (Collection Le Poulpe, Baleine 2009) ; p. 27 *Maigret et le fantôme* de Georges Simenon (Le Livre de Poche) Georges Simenon Limited (a Chorion company). All rights reserved ; p. 28-29 Centre Belge de la BD, Lawrence LOUIS-CHARLES (secrétaire de BSJ-Team) / Nicolas NYS (designer de BSJ-Team), Festival Midis-Minimes (Bruxelles), Bruxelles by water, Emmanuel Gaspart (Cinéma Arenberg), Centre de Littérature de Jeunesse de Bxl (Illustration de Marie Koerperich) ; p. 31 Sylvain Bouquet/Fotolia.com, Nougaro/Fotolia.com, Thibault Brun/Fotolia.com ; p. 33 Thinkstock, Benjamin Haas/Fotolia.com, senicphoto/Fotolia.com, Sean Gladwell/Fotolia.com, arkna/Fotolia.com ; p. 34-35 Andres Rodriguez/Fotolia.com ; p. 36 Thinkstock, © lefigaro.fr / 2011, Compagnie de théâtre Un, deux, trois... Soleils ! ; p. 37 Cirque Plume, *L'atelier du peintre* par Henri Brauner, Angela Weiss/Contributor/Getty Images ; p. 38 Thinkstock, Scott Griessel/Fotolia.com ; p. 39 taka/Fotolia.com ; p. 40 Lyuba Dimitrova LADA Film ; p. 41 Nikolai Sorokin/Fotolia.com, Lyuba Dimitrova LADA Film, CATA_Agencia de Promoción Turística de Centroamérica ; p. 42 Thinkstock, phyZick/Fotolia.com, Alisher Burhonov/Fotolia.com, suzannmeer/Fotolia.com, puckillustrations/Fotolia.com, Beboy/Fotolia.com ; p. 46 Thinkstock, issu de InternetSansCrainte.fr, © Tralalere 2011 ; p. 47 Karen Roach/Fotolia.com ; p. 48 Thinkstock ; p. 49 Francois Durand/Intermittent/WireImage, Karl Prouse/Catwalking/Contributeur/Getty Images, Julian Finney/Employé/Getty Images ; p. 53 QiangBa DanZhen/Fotolia.com ; p. 56 Ferenc Szelepcsenyi/Fotolia.com, Wikimedia Commons, ChristinaT (Wikimedia Commons) ;
Cahier d'activités : p. 100 Olivier Le Moal/Fotolia ; p. 108 Isaxar/Fotolia.com ; p. 115 squidmediaro/Fotolia.com ; p. 118 Eisenhans/Fotolia.com ; p. 120 Momentum/Fotolia.com, Thomas von Stetten/Fotolia.com ; p.132 Andres Rodriguez/Fotolia ; p.135 bloomua/Fotolia ; p. 136 Marion Wear/Fotolia.com ; p. 137 Okea/Fotolia.com ; p. 141 catthesun/Fotolia.com, dalaprod/Fotolia.com.

N.B : Toutes les photographies provenant de www.flickr.com sont soumises à une licence de Creative Commons (Paternité 2.0 et 3.0).

Cet ouvrage est une version des éditions *Rond-Point 2* (Difusión, Centre de Recherche et de Publications de Langues, S.L.) et est basé sur l'approche didactique et méthodologique mise en place par Ernesto Martín et Neus Sans.

© Les auteurs et Difusión, Centre de Recherche et de Publications de Langues, S.L., 2012

ISBN : 978-84-8443-853-3
Dépôt légal : B 256-2012
Réimpression : septembre 2017
Imprimé dans l'UE

ÉDITIONS maison des langues

www.emdl.fr